影老日記

杉本博司自伝

杉本博司

新潮社

杉本博司自伝　影老日記

目次

著者自装

杉本博司自伝

影老日記

記憶の始まり

　永いあいだ、私は自分が生れたときの光景を見たことがあると言い張っていた。これは三島由紀夫の小説『仮面の告白』の冒頭部分である。学生時代、はじめてこの小説を読み始めた時、私の心の深いどこかで、小さく血がさわぐような、さざなみの響きのようなものが聞こえてきた。もちろん私には自分の出生の記憶などは無い。しかし、こうして引きも切らず、拍を打ちながら流れ続ける私の血の中に、私がこの世に生まれてくることになった因果の記憶、遠い祖先たちが見ていた風景の記憶、そんな因子の断片が潜んでいるような気がしたのだ。

　私は夢見がちな子供だった。そして今でもその夢見心地は続いている。アートとは、一人のうちに見える夢を、多くの人にも見えるようにする仕事だと思う。しかしその夢がいつの頃から始まったのかは、想い起こしてみても皆目見当がつかない。それもその筈で、夢の中で夢の記憶を辿っているのだから、眼が覚めると同時に夢の記憶は雲散霧消していってしまう。私は人生とは二幕ものの喜劇だと思っている。夜の部と昼の部という。夜の帳が街をつつむ頃私は眠りにつく、いつの間にか意識は薄れ夢の世界の住人たちが目を覚ます。そこは荒唐無稽の世界。そして支離滅裂で時系列も破綻している。時折死んだ人まで登場してくるが夢の中では自然だ。夢の世界には自由がある、私は自由で夢のあるこの世界が好きだ。東の空に茜色がさす頃、夢の住人たちはおやすみをいって消えていく。そして今度は、目覚めという休憩をはさんで昼の部が華々しく開幕するのだ。

それでは私の昼の部の記憶はどうだろう。こちらの方は夜の部と違ってかなりはっきりしている。それは海の記憶だ。水平線はたわんでいる、と思ったのだ。その張り詰めた緊張感、檜の風呂の湯が溢れ出る直前、表面張力で水面が盛り上がるように。そして次の瞬間、湯は決壊して滝のように流れ落ちる。海も張り詰めている。その張り詰めた皮膜に指一本触れるだけで、海は決壊し宇宙の彼方へと流れ去ってしまうのではないか、そんな情景を夢想したのだ。もちろん、これは大人になってから自分の子供心の心理分析をしているので、脚色が加味されているのだが、もうしばらく、その時のことを思い出してみよう。海は張り詰めていたが、同時に優しさと静けさに満ち満ちていた。私はその時、ふと、私がいる、ということに気がついたのだ。私は自分の小さな手をしげしげと見つめてみた。その時以来、私の記憶は連綿と、七十年程の歳月を経て、今まで途切れることなく連なってきている。

それが何歳の時だったのかは朧だ。伊豆方面に家族旅行で行った帰り道だったのは確かだ。真鶴から根府川へと向かう東海道線は急峻な断崖のふちを鉄橋とトンネルで巡る。トンネルは眼鏡トンネルと呼ばれ、その海側には幾多の窓が穿たれていた。乗客からはコマ落としの映画のように、海が現れては消え、また現れては消える。そしてついに眼鏡トンネルを抜けると、あの広々と開けた相模湾が眼前に広がったのだ。その日は快晴で雲ひとつなく、水平線は日本刀の切っ先のように朝日を受けて光り輝いていた。私は人類史という永いトンネルを抜けて、この世に、この場所に、ひとつの小さな意識として生まれ落ちたのだ。今、この旧東海道の軌道は廃線となり、深く蔦に覆われて、古代遺跡の趣を漂わせ森閑としている。

私は人生の三分の一を夢の中に、三分の二を夢見心地の中に過ごしてきたように思う。夢の内にある時、未来を夢見ることはない。それよりも遠い過去にあったことを夢見ているような気がする。私の生まれる前の記憶。私の血に残された思い出。何十世代、何百世代前に私の血の内に起きた記憶、そんな夢を私は度々みた。ある日私は縄文人のようだった。深い森の中に一人いて木漏れ日が揺れ動くのを見ていた。ある日の夢も前近代だ、海岸には人も建物も何もない、そして海が引いていくのを見ていた、私は津波が来ると思って目が覚めた。時には至福に満ちた夢もみた。なぜそれが至福だったのかは皆目見当がつかないのだが、人気の絶えた深夜、今度は現代のニューヨークの路上、風が吹いている、枯葉が路面すれすれに音もなく流れてゆく。そして私はその時突然の至福感に満たされたのだ。おそらく風の姿が見えたと感じたのだ。この地表に満たされた大気、その内に私は息をして、こうして生きている、なんと有難いことなのだろう。いまその夢を反芻してみるとそんな感じかもしれない。有難いという感覚は有るということが難い、有ることが奇跡だと思い得る感性なのだ。

子供の頃、親に急かされて布団に入る。眠気はない、そんな時私は天井の木目に見入る。竿縁天井の規則正しい縁の中に星座のように木目が散らばっている。私はその中の大して大きくもない目立たない一つの節に目を凝らす。まばたきをこらえてじっと見つめているとその節は次第に大きくなっていき、私は節の内側へと入っていってしまうようだ。最後の瞬間に私は怖くなってまばたきをする。すると何事もなかったかのように薄暗い部屋に私は連れ戻される。木目という木目はみんな私を誘っているように見えた。

ある頃から夢は私の昼を侵食しはじめた。白日夢だ。それは父の会社の事務室だった。吹き抜けの高い天井の空間に大きな富士山の写真が掲げられていた。新築の新建材の天井には細かな穴が無数に穿たれた一尺幅のボードが張り詰められている。小さな穴は不定形で一つ一つがアメーバーのような形をして、じっと見つめているとみな動き始めてしまうのだ。私はまた一つの穴に吸い込まれていく、私は陶然として身を任せてしまうのだが最後の向こう側へ抜ける瞬間に怖くなって正気に戻るのだった。向こう側を覗いてみたいという好奇心は募る。しかし大人が言う神隠し、子供が急に消えてしまうという話は私を怯えさせた。

ある朝、目覚めると襖にぼんやりとした像が映っていた。何か見慣れた景色だが逆さまに映っている。その日は前夜の嵐に備えて雨戸が閉められていた。今思うと雨戸の節穴が抜けた箇所があり薄暗い部屋がカメラオブスキュラになっていたのだ。私は布団の上で逆立ちしてこの像を見てみた。この体験が私の写真的体験との邂逅だったのだ。考えてみれば人の網膜上に映る像も倒立像のはずだ。しかし人のみならず、犬もカエルも昆虫も、みんな平気で暮している。倒立像は脳内で正立像に変換される、というよりも思い込まされる。世界がこのようにあるというのは脳内現象の思い込みにすぎないのかもしれない。他の動物達の眼球も人間の眼とそれほど大きな構造的な違いはない。しかし人間の眼だけが心に直結している。なぜ人にだけ心が生まれたのだろう。眼に映る美しい景色に涙が滲んだりする。眼に心が宿った頃、それは猿が人間に進化した頃のことだ。その頃の血も私の血に流れている筈だ。人の胎児は系統発生の痕跡を辿って成長していくと言われる。初期は魚だ、そして海から陸に上がる頃の哺乳類の形になっていき、最後に人になる。私は私の血の記憶を辿って魚の時の記憶にまで遡っていきたい。しかし魚の時には記憶そのものがなかっただろう。私の先祖返りの夢は曖昧模糊としていつも終わる。子供の頃の様々な体験の記憶は、その後の大人の時間を今でも呪縛し続けている。

BAY OF SAGAMI, ENOURA 2017

父　三遊亭歌幸

　私の父は大正6年、横浜郊外の日野という村で生まれた。しかし父は戦争以前の話は一切しなかった。どうやら尋常小学校を卒業してから家出をしたらしい。家出というよりも音信不通の方が近い感じだ。どこで何をしていたのかは母にも話していない。終戦時カラフトに軍属として従軍していて、ソビエト軍の南下直前に最後の帰還船に乗れて帰れた、あの船に乗れていなければお前は生まれていなかった、と一度だけ言ったのを覚えている。終戦直後の混乱のさなか、父は落語家を目指すことにしたらしい。三遊亭圓歌（二代目）師匠に入門した。兄弟弟子に歌奴（三代目圓歌）がいて親友は小金馬（現：二代目三遊亭金翁）だった。しかし私が生まれた昭和23年頃から家業が上向きになり、金回りの良くなった父は三遊亭歌幸《かこう》という芸名は温存したまま家業に専念して落語界のパトロンのような存在になったらしい。家業は銀座美容商会といい、御徒町にあって美容室で使う美容器具やパーマ液など一切を扱う問屋だった。私が物心のついた頃、父親は遊びに行こうと言って私をよく連れ出した。行く先はいつも同じ、人形町にあった末廣という寄席だった。私はまだ小さくて寄席になど興味もある筈はないのだが、「ちんちん電車に乗せてやる」という誘惑で、私はまんまとその誘いに乗ったのだ。昭和通りから人形町まで、当時の都電は石畳をコトコトとのんびりと走った。私は抱っこしてもらい運転手の一挙手一投足に眼を凝らしていたのがついこのあいだのことのように瞼の裏に浮かぶ。私がその後鉄道フェチになり、汽車を撮るために写真が上手くなったことが人生の初動へのきっかけになったのも、父親の寄席通いから始まっていて、寄席には恩義を感じる。

末廣には下足番がいて、履物を預かってくれる古風な作りで、私はここで遊んでおいでと言われて楽屋に放置された。すると坊やかわいいね、と言って芳町界隈の芸者衆が私をお人形のように可愛がってくれた。料亭の仕出し弁当は家で食べるものとは別世界の味で、いい匂いのするお姉さんがだし巻き卵を口に運んでくれたのを覚えている。長じてから私は料理本を出版したが、今でもその時のだし巻き卵が定番になっている。「三つ子の魂百まで」とはよく言ったもので、私の幼児教育は意図もされずに順調に推移したことになる。

父は常に諧謔を考えているらしく、大人になっても父とはまともな会話をしたことがない。一度だけ、私がアメリカに発つ日の朝、真顔になって「他人様に迷惑だけはかけてはいかん」と言ったので、私は思わず吹き出してしまった。今思うとあれは一生に一度だけ、父親が父親らしいことを言った千載一遇のことだった。

あれは上野のとんがり幼稚園に通っていた時のことだろうか、母親が「ぼうや良く噛んで食べるのよ」と言うと間髪を入れず父が言った。「おまえ、あんまり良く噛んでると、口の中でうんこになっちゃうぞ」。これはさすがに印象に残った。それ以来私は早食いの性癖を身につけてしまった。ある日の雨、私が縁側でぼんやりと雨を見ていると、父が言った。「夜になると空で光ってる、あれは何だか知ってるか」。私は「お星様」と答えた。父は言う。「そうだお星様だ、あれは天から雨が降ってくるときの穴だ」。私はそうかーと思い博学の父を暫くのあいだ尊敬した。

寄席の演目で私が一番好きだったのは紙切り芸だった。お囃子のリズムに乗って一枚の紙を鋏で切っていき、貫一がお宮を蹴る場面とか、鶴と亀とかを見事に切り出すのだ。寄席に子供は私だけなので、「坊や何がいい」と振られた。私は「はとぽっぽ」と言うようにあらかじめ耳打ちされていた。私が近年演劇にのめり込むようになったのも、この時に味わった高揚感が下地にありそうだ。その頃の末廣の高座での一番人気は古今亭志ん生だった。あまりろれつが回らないので、ほとんど子供には理解できなかったがとにかく面白い。独特の出囃子は耳に残っていて、現われただけで客がどっと笑う。ゆっくりと座って「え――」というだけでまたどっと笑う。間合いの妙とでも言いましょうか、そこへいくってーと、三遊亭圓生師匠は名人でございました。その端正な語り口、立板に水を流す、というのでございましょうか、落語「後家殺し」の中で、義太夫風に語る絵本太功記、尼ヶ崎の段などは私も覚えてしまいました。「まだ祝言の盃を　せぬが互いの身の仕合せ　わしが事は思い切り　他家へ縁付して下され」。

店舗兼住宅の御徒町の家の二階では、しばしば宴が催され、歌舞音曲の音色で子供が寝るどころではない夜が続いた。ある晩のこと、ＮＨＫのど自慢の優勝者を招いての宴が我家で開かれた。私は美声に惹かれて宴席を覗いてみた。「花も嵐も踏み越えて　行くが男の生きる道　泣いて

高座の父

くれるなほろほろ鳥よ　月の比叡を独り行く」。映画『愛染かつら』の主題曲、「旅の夜風」という曲であることを知ったのは大人になってからだが、ほろほろと鳴く鳥にも驚いたが、それよりも私は人の声がこんなにも美しい響きであることに感動を覚えた。そして僕もこんな風に歌いたいと思ったことが、中学になって聖歌隊に加わる遠因になっている。その後のパリオペラ座演出に行き着くまでには六十数年の歳月が必要となるのだが。

　その頃テレビ放送が始まり、よく行ったのが内幸町のNHKホール、父の友人たちが出演する「お笑い三人組」の公開生放送だった。三遊亭小金馬はラーメン屋満腹ホールの主人、講談師の一龍斎貞鳳《ていほう》はニコニコクレジットのサラリーマン、ものまねの三代目江戸家猫八はクリーニング屋の八ちゃん、あまから横丁に住む三人が織りなすドタバタ劇、時々三木のり平がボケ味をかまして顔を出す。ぶっつけ本番の舞台は臨場感溢れる生放送だったことを思い出す。

　私は父の人生のほんの一部しか知らない。夕食を共にするのは月に1回もあるかないか、毎晩遅く酔って帰宅する頃、子供たちは寝ている。どうやら宴席が商売の場でもあって、昼の実業は母が帳簿をつけて仕切り、夜に接待で人をいい気持ちにさせるのが父の役割だったらしい。学問などにはとんと縁がないが面白おかしく人生を渡ってきた。そのうちに戦前の放浪時代のことを聞き出してやろうと目論んでいたのだが、ある日突然癌を宣告され半年ほどであっという間に64歳で世を去った。生涯医者嫌いでその時が最初で最後の医者との遭遇だった。毎年夏に断食道場に籠もるのが養生で、帰って来る度に「酒がうまい、このための断食だ」と言っていたのを思い出す。私は遂に父親の前半生を聞き出す機会を失ってしまった。葬式には「通夜の客」も現れて私を驚かせた。

そういえば同じように家出した弟が一人いたという話は母から聞いたことがある。結婚した時、父からは「親兄弟はみな死に果て天涯の孤児だ」と言われていた母は弟が訪ねてきたことに驚き、話を聞いてみるとやくざ者に成り果てたが足を洗いたいということだった。母はおでん屋の屋台一式を買い与えて堅気の道を歩ませようとした。しかし半年も経たぬうちに音信不通となり再び消え失せてしまったのだという。ある晩父は母にもう一つの打ち明け話をした。「実は母も存命で横浜の病院で雑用をして細々と一人暮らしをしている」というのだ。母は直ちに私の祖母に当たるそのお婆さんを引き取ることにした。突然やってきた私の祖母は借りてきた猫のように恐縮して萎縮していた。そんな祖母が見つけた自分の居場所、それはまだ幼稚園児だった私を寝かしつけるという仕事だった。私は昔話を毎晩ねだった。鬼退治やかぐや姫はすぐに飽きて、私は実話をねだった。祖母の生きた明治や大正の話だ。特になんどもねだったのは関東大震災と横浜大空襲の話だった。日野村は横浜市街が遠望できる山の上で、竹藪に逃げ込んだお婆さんの動転する目撃談に私は感情移入した。今でも私の歴史認識の手法は、その時の状景があたかも手に取るように脳裏にありありと浮かぶまで資料を当たることだ。私は父の半生の代わりに祖母の一生を聞くことができた。

私は父の影響を相当受けていることに晩年になって気付かされた。

落語のように話には落ちがなければならないという強迫観念、落ちはサゲとも言われ、最後の最後で価値の逆転があるのだ。後年美術作家となった私の作品には、みな落ちがある。

母

私の母は大正15年、現在の兵庫県高砂市に菅野家7人兄弟の次女として生まれ照子と名付けられた。父親は逓信省の役人菅野《すがの》寅吉で、高砂の支局長を務めた。菅野家の命運が狂い始めるのは私が生まれた翌年の昭和24年のことである。国鉄の総裁が轢死体となって発見された下山事件のあった年、同じようにある朝、菅野寅吉は轢死体で発見された。国鉄総裁が労働運動に巻き込まれたのと同じように、当時の電話回線の利権には複雑な背景があったようだ。酒を飲めなかった寅吉は通勤路とは反対の線路上に酒の匂いを漂わせて轢かれていたのだという。他殺の可能性を色濃く残して事件は迷宮入りしてしまった。母照子は初孫の顔を見せるため一時里帰りしたので、私と祖父が写る写真が一枚だけ残されている。祖父は苦学の人で大学進学を諦め高卒で逓信省に入省したという。キャリア官僚ではない自分が、能力がありながら苦汁を飲まされた話を母は何度も聞かされたという。しかしノンキャリアとしては異例の高砂の支局長にまでなれたのだから優秀だったに違いない。

照子が神戸の親和高等女学校に通っていた頃、ＹＭＣＡの活動を通じて知り合った学生と将来

母　照子

を約束し合っていたらしい。しかし時代は風雲急を告げ、戦争へと向かい、その学生にも赤紙が届き出征していった。終戦後、照子は三井物産神戸支店に勤め経理の仕事をしていた。東大や慶應出の社員ばかりでとてももてたと言っていた。そこに突然見合いの話が舞い込んできたのだ。

照子の母方の叔父の中津さんは、戦前から東京に出て銀座2丁目に銀座美容商会を営んでいた。そこで共同経営をしていた私の父、杉本幸三の嫁にと照子に白羽の矢を立てたのだ。叔父としては経理にも通じた姪を呼び寄せ仕事をまかせようと思ったらしい。母は送られてきた見合い写真を見るまでもなく、断りの手紙を書いた。終戦後2年、出征していった人からは何の連絡もなく、生死も不明だった。暫くして中津さんから再び手紙が届いた。そこには一行だけ次のように書かれていた。「井の中の蛙大海を知らず」。母はこの一行にひどく反応してしまったらしい。なにくそ、と思い見合いをすることにしたのだ。こうして私の命は大海へと産み落とされることになった。この格言さえ届かなければ私は生まれなかったのだと思うと、言葉の不思議さをつくづく思う。

母は銀座美容商会の経理を任されることになったのだが、気丈な人で昔は女伊達、いまでいうキャリアウーマンのはしりだった。経営者であり出資者であるはずの叔父はほとんど仕事をせず経営を母に任せ、月に一度現れて金庫の売上金を持って行ってしまうのだ。叔父としては自分の会社の金は自分のものだと思い込んでいる。母はある時決心をし、叔父から株を分割払いで買取り、親戚付き合いとも絶縁してしまった。私も子ども心にあんなにいつも顔を合わせていた大叔父さんが急に消えてしまったことを長い間不思議に思っていた。

母は今年で96歳、元気だが記憶はほとんど失せてしまった。父の他界後、一生仕えてくれたお手伝いさんが先に逝ってしまい、一人暮らしになってしまった。広い屋敷にぽつねんと暮らす母は急速に老け込んでしまった。私はベネッセの福武会長にお願いして介護付き老人ホームアリア松原をお世話いただいた。すると話し相手にも恵まれ、みるみる活気を取り戻し「ここは天国だ」と言って喜んだ。私は「天国はもうすぐだけど、ここではないよ」と母を諌めた。自慢は毎朝日本経済新聞に目を通していることだ。引退した経済界のお爺さん達を相手に自身の訳のわからない経営哲学を披瀝するのだった。

10年ほど前に記憶が薄れる兆候が現れ始めた頃、私は今の内にと考えて母に聞き取り調査をした。あの時のＹＭＣＡの青年は私が生まれた翌年の昭和24年に無事に生還し、母を東京に訪ねてきた。驚いたのは父の方で、喫茶店で話をする間、店の周りをぐるぐる廻っていたという。その青年からは毎年年賀状が届き、数年後結婚の知らせと共に写真が送られてきた。母が自慢するのには、相手の人は自分とそっくりの美人だったということだ。その青年は後に関西学院大学の学長になった。母への聞き取りで驚かされた話があった。新婚初夜の驚きを母は語った。性教育などなかった時代、母は結婚と出産の関係を知らなかったというのだ。結婚すればなんとなく子供ができる、といった程度の認識しか無く、その夜は本当に驚いたと語った。私は私の誕生を逆算してみた。すると初夜の晩からちょうど十月十日が私の誕生日だ。私は母の胎内で、その驚愕の内に懐胎したように思う。その夜、私は無知の子宮に着床し、母は「出生の秘密」を知ったのだ。

もう一つ母から聞いた性にまつわる話を記しておこう。母の二つ下の妹、美代子のことだ。私が大学生の頃、母の古い写真を整理していると美代子の結婚写真が出てきた。母が言うのには美代子は姉妹の中でも特に美人で、英語が堪能なため進駐軍で通訳として働いていた。そして進駐軍の将校ウォーター・ハイムス氏に見初められ結婚したのだが、私の見つけた写真には別のハンサムな日本男性が写っているではないか。母はその時、しーーーと指を口に立てた。美男子で商社のエリートサラリーマンと見合い結婚したのだが、一月ほどで逃げ帰ってきたのだという。話を聞いてみると夫はその道には大分長けていたらしい。ある晩手足を縛られてしまったという。それでびっくり仰天し翌朝逃げ帰ってしまったというのだ。やはりうぶな家系と言うのだろうか。そのまま破談というか結婚解消になってしまったのだという。

私は小学校に入ったばかりの頃、何度か東京郊外にあるハイムス邸に遊びにいったことがある。芝生の広い洋館で、まだ敗戦の傷跡が残る、東京の下町とは天国と地獄ほどの差を子供心に感じた。その後ハイムス氏はグアム基地に転勤となり、冷戦下で基地が核攻撃を受けた場合に備えて、数年間指揮官が生存するための巨大な地下シェルターを管理するという任務に着いた。私の初めての海外旅行は、60年代初頭、海外旅行が制限されていた頃、このハイムス家の仲良くなったいとこ達と遊ぶため、グアムに招かれた時のことだ、高校生の時だった。基地のエレベーターは深く深く潜っていき、その地下壕の中で核戦争は起き、地上には生きては出られないのだと思って背筋が凍る思いがした。隣のサイパン島には軽飛行機で飛んだ。飛行場には掘建小屋があるだけで観光客が押し寄せる大分前だ。そこには敗戦がむき出しのまま放置されていた。美しい海岸には錆果てた戦車が波に洗われている。砲台は被弾したらしくひっくり返って蔦に覆われていた。

ハイムス氏はその後退役し、その通信網管理の技術力を買われて国際電信電話会社に就職し、フィラデルフィア郊外で幸せに暮らした。私のアメリカの永住権取得時にはお世話になることになる。私の母を妹と同居することにして一時的にフィラデルフィアに呼び寄せ、その連れ子として私も永住権を取得するという手立てだ。大変お世話になったのだが、結婚写真のことは胸に秘めていた。ハイムス氏とは初婚として結婚しているのだ。

ある日ハイムス氏とゆっくり話す機会があった。彼は若い頃キリスト教の牧師になることを目指していた。しかし戦争に召集されて考えが変わったらしい。私に「神はいないのだ、君もそう思うだろ」と尋ねられ、私は返答に窮した。キリスト教の神さまはいないかもしれないが、あなたはこの戦争を通して観音様を得たではないですか、と言おうと思ったが、言葉は出かかって消えてしまった。

先祖の菅野白華

轢死という不審な死を遂げた母方の祖父菅野寅吉から数えて2代前の親戚に、尊皇攘夷派の儒学者、菅野白華《はっか》がいた。白華について知ったのは私が22歳の時、アメリカへ渡る一月前、まだ1ドルが360円、外貨の持ち出しは700ドルという時代、私は日本を離れたら一生帰れなくなるのではないのかと覚悟を決めていた。私はそうなる前に自分の出自を調べておこうと思い立ち、母方の先祖が眠る兵庫県高砂市の十輪寺を訪ねたのだ。丁度大阪万博が開かれたばかりの頃だった。十輪寺は弘仁6年（815）、帰朝した空海によって真言宗寺院として開かれたが、鎌倉期に法然が地元の漁師に説法をしたことから、中興開山に迎えられ、今は浄土宗寺院となっている。住職に案内を乞うて墓地を見て回ると、菅野家の墓所は室町期まで遡れる墓石が林立していて、私はその裏に刻まれた墓碑銘を一つ一つ丁寧に見て回り、全て写真に収め記録した。広大な墓地の中にやはり高砂生まれの憲法学者、美濃部達吉の家の墓もあることに気がついた。住職の説明では幕末の儒学者、菅野白華は美濃部と共に特に顕学の誉が高いということだ。私は白華を調べてみた。

菅野白華像

菅野白華は儒学者菅野真斎《しんさい》の三男として文政3年高砂で生まれた。8歳にして「昭明文選」の難字を全て暗記し、父が疑字に会うたびに、白華を呼んで質したが一字も誤ったことがなかったので、生き字引と称えられ将来を嘱望されたという。姫路藩主は白華を江戸昌平黌《しょうへいこう》で学ばせることにした。昌平黌は全国の武士の子弟の中から特に優秀な者の集まる学問所だった。その後江戸藩邸学問所の学頭となるも、次第に尊皇攘夷の意義に目覚め、論客となっていく。特にペリー来航以来、海防の論を唱え、安政3年から翌年にかけて蝦夷地を探査し、北方防備の書『北遊乗』を残している。そして安政5年、井伊直弼が大老に就くや安政の大獄が起き、水戸藩に近い勝野豊作との往復書簡が発見され、白華も捕らえられ、拷問により歯を全て抜かれたという。吉田松陰、橋本左内は斬首、水戸藩家老安島帯刀は切腹、白華は国許永押込となり蟄居した。白華はその頃に漢詩を残している。

我位非王侯《わがくらいおうこうにあらず》　遊心天地外《ゆうしんてんちのそと》　俗談己聞厭《ぞくだんおのれきくをいとう》　唯欲神州泰《ただしんしゅうのやすきをほっす》

意訳をしてみよう。私は高貴な身分ではない、しかし心は天地の外に遊び、俗談を厭い、ただ天皇を戴くこの国の安泰を願うばかりだ。

白華は5年後に赦免され、姫路藩校、好古堂に迎えられて慶応元年督学となる。維新政府の伊藤博文と黒田清隆は白華をよく知る人物で、弱冠27歳の初代兵庫県知事伊藤博文は、礼を尽くして白華の意見を求めたという。明治3年2月、新政府は白華の外務省登用を決めた。しかしすでに病は重く、東京への赴任の旅の途路、不帰の客となった。享年50、十輪寺に葬られた。

私は思うのだが、大獄の幽閉が白華の寿命を縮めたのに違いない。もう少し長く生きられていれば、攘夷から開国への推移の中で、外務省の役人として海外へと羽ばたく機会もあったはずだ。奇しくも、私が意を決して海外へと飛ぶ直前に、私はご先祖様、菅野白華の無念の意を託されたのではないのかと、自問自答した。しかし若輩の私に何ができるだろうかとその時は思った。白華の存在は私が老年に近づくにつれてその重さを増していった。

同郷の顕学美濃部達吉は菅野白華の死の3年後に同地で生まれている。昭和10年に起こった天皇機関説事件で下野し、敗戦後の新憲法草案審議の際には再び憲法学者として復活している。若い頃の私には、この事件の頃から軍部の台頭が顕著となり、太平洋戦争へ突き進んでいくという程度の認識しかなかった。私はこれから私が行こうとしているアメリカという国と戦い、25年前に完膚なきまでに打ちのめされ、戦後という、なにかあやふやな国に生まれたという感慨をなんとなく持っていた。私は菅野白華の墓に詣で、美濃部家の墓前にも手を合わせたことによって、明治草創期の天皇制という国の姿を考えようとした菅野白華と、明治憲法の中にその姿を明示した美濃部達吉の努力とその挫折に想いを馳せ、なぜあの戦争に突き進んでしまったのかを詳しく知りたいと強く思った。敗戦国の国民として、戦勝国の人々に私はなんと説明したら良いのだろう。私はこの時以来、旧敵国の地にいて、敗戦の経緯探求にはまっていった。それはとりもなおさず日本とは何かを知る旅だった。

とんがり幼稚園

子供の頃の記憶は年齢を重ねるにつれてより鮮明になってくるように感じられる。それは長く深かった未生の闇から目覚めて、初めてこの世を見渡してみるという体験が忘れがたいものだからだ。幼い心に深い印象を残すのは当然だろう。心が芽生えてくる朦朧から覚醒への道のりは、今、老人と成り果てて、覚醒から朦朧へと確実に向かう中で、いつか来た道の思い出として自然に湧き上がってくるのだろう。死とはただ生まれる前に戻るだけなのだ。生と死の間に時があり、その時を摩滅させながら人生は進む。石臼にそば粉が挽かれていくように、時間は挽かれる、挽かれたそば粉がうまいかうまくないかには一切関わりなく。時は代替わりしていき、新たな時代が巡り来る。私が生まれ落ちたのは戦後という時代だった。

私の生まれた東京の下町、御徒町界隈は、奇跡的に昭和20年3月の東京大空襲の火災から逃れられた一画だった。この街並みは大正12年の関東大震災後に復興したもので、看板建築と呼ばれるトタン張りの家が多かった。街中には路地が迷路のように続き、夏には各家の玄関前に植木鉢が並び、朝顔がその美しさを競っていた。家から一筋向こうには昭和通りがあり、中央の緑地帯

とんがり幼稚園　蛇使い

には都電がのどかに走っていた。子供にとってはこの幅の広い昭和通りを渡るのは大河を渡る気分だった。これは後から知ったのだが、東京市長も務め、震災後に帝都復興院総裁となった後藤新平の先見の明がこの道路を造らせたのだという。

私は上野駅近くにあるとんがり幼稚園に通った。鋭い尖塔を持つ教会の姿から、愛称でとんがり幼稚園と呼ばれていたのだが、正式な名称は日本基督教団下谷教会、共愛幼稚園。私が学芸会でインドの蛇使いになり、客席に向かってしなを作っている写真が残されている。このまんざらでもない表情は、後の私の演劇への深入りを暗示しているようだ。

ちょうどその頃、朝鮮戦争は休戦へと向かっていたが、日本は朝鮮特需で経済が復興時期を迎えていた。銀座美容商会も急速に事業を拡大し、東北や関東一円から若い社員を迎えた。社員といっても当時は小僧さんと言っていた。朝早く自転車の荷台に商品を載せて東京じゅうの美容院に配達に出るのだ。私は3人の女中さんと20人ほどの小僧さんと共に集団生活をしていた。中卒のお兄さんたちは代わる代わる私と遊んでくれて、食事も三度、大きな釜で飯が炊かれ、みんなで代わる代わる食べた。しばらくして自転車はオートバイへと替わり、昭和30年代には全てライトバンへと替わっていった。日本は確実に復興へと向かっているのが子供心にも感じられた。

母照子は商家らしく、番台に座り経営に没頭していたが、父は夜の部の担当で夜な夜な取引先の接待に忙しく、滅多に家にいたことはない。母は神戸に残してきた弟たちを次々に呼び寄せた。実は高砂で轢死した祖父、菅野寅吉の死亡退職金として当時400万円もの大金が祖母菅野よしに支払われた。今の価値に換算すると1億9千万円ほどになる。祖母は金銭の管理に全く疎かった。高砂近隣の農家から嫁いできた祖母は、賄いの金を月々夫から貰うという生活を続けていた。そして夫の不幸によって思いもかけず大金が入ると、有頂天になって使いに使いまくったのだ。豪華な着物、料亭の料理、その大金は2年も待たず消えてしまったというのだが真相は藪の中、持ちなれない金は瞬く間に蒸発したのだろう。まだ高校生だった弟の菅野整は授業料さえ払ってもらえなくなってしまったのだ。その窮状を見かねて母は祖母と弟二人を東京に引き取り、一緒に暮らし始めることになる。

昭和28年、テレビジョンという魔物が登場する前、世間はのどかだった。その頃人気を博したのがラジオドラマ「君の名は」だ。私は5歳の筈だが冒頭のテーマ曲の「君の名は」が耳に残っている。そしてそれに続くナレーション「忘却とは忘れ去ることなり、忘れ得ずして忘却をちかう心の悲しさよ」。子供心にはお経のような響きだが、それが大人になるとボディーブローのように効いてくる。私の文体への影響は否めないかもしれない。三つ子の魂百まで、不思議なものだ。メロドラマとは言い得て妙だが、放送時間には銭湯の女湯が空になると言われていた。この話は数寄屋橋がすれ違う逢瀬の場として重要で、私はこの数寄屋橋の風情をよく覚えている。銀座の風景は１９６４年のオリンピックで一変してしまったのだが、銀座には水路が巡らされヴェニスの風情すらあったのだ。父親はたまの週末に、数寄屋橋のたもとにあったニュートーキョーという高級中華料理店に家族を伴って食事に出た。銀座に出る時はハレの気分でみなおめかしをして、私もよそ行きを着せられた。その料理屋の窓からは数寄屋橋の下の運河が眺められ、その水面に銀座のネオンが揺らめいて反射していた。私の視線はその揺らめきに誘われて心は虚を彷徨った。

　生家は木造二階建て、屋根の上には物干し台があって、私の好きな居場所だった。私は人目を避けて物干し台に登り、風景を眺めていた。遠景に上野の山が見え、大きなビルは上野松坂屋だけだった。デパートの屋上からはアドバルーンが風になびいていて、文字が風に揺らぐのを見つめていた。お手伝いさんが私を探しにきた。私はその字をなんと読むのかを聞いた。それは「大売り出し」だった。文字とはその時以来の長い付き合いだ。

　筋向いの二階に暮らすお爺さんとお婆さんは私を可愛がってくれたので良く遊びにいった。母も子守を頼んでいたのかもしれない。狭い二間で二人はいつも内職をしていた。山のような小箱になにか紐をかける仕事らしかった。ある日突然、母はもうあの家には遊びにいってはいけないと私に申し渡した。これも後から聞いた話だが、噂にお爺さんには結核の病歴があるということを母が耳にしたからだ。

　私は毎朝、小僧さんの自転車の後ろに乗ってとんがり幼稚園に通った。午後は迷路のような路地で近所の子と遊んだ。路地には悪ガキがベーゴマの賭場を張っていて、気弱な子供から獲物を巻き上げていた。私は遠巻きにベーゴマの勝負を見ながら、ひたすら紙芝居のおじさんを待った。おじさんの口上は名調子で「月光仮面」を聞きながら私はその語り口に酔った。本当のことを言うと、父親の落語よりもうまいと思っていたのだ。５円の駄菓子と紙芝居、５円のない子は遠巻きに紙芝居を見ている。その横を豆腐売りのラッパの音が響き、あさり売り、金魚売り、風鈴売りが通り抜けて行った。あさり売りはシジミも一緒に売っている。父親の言うのには、あさり売りは病院の近くへは行けないのだという。その売声は「あさりーーシジミーー」。病人にはあっさり死んじめえ、と聞こえるからだとの仰せで、父親による私への幼児教育も着々と進んでいた。

日光写真

　私が小学校2年になると、御徒町の小学校から転校することになった。家業の本店は御徒町に残し、家族は、今でも都電荒川線が通う巣鴨新田近くへと引っ越した。当時の巣鴨は郊外という風情で、空き地に土管という、絵に描いたような遊び場がたくさんあった。トカゲを捕り、オニヤンマを追いかけ、揚羽蝶を標本にし、暗くなるまで缶蹴りをした。西巣鴨小学校の担任の先生は新任の斎藤圭子先生だった。戦後のベビーブームの頂点に近く、1クラス58人で10クラスまであった。教室には多種多様な子供たちがいた。今とは違い、発達障害の子も体に障害を持つ子もみんな一緒だった。しかしいじめはなかった。あまりにも違いすぎて逆にいたわりの気持ちが湧いたのだ。私の隣の席は大森智江さんで、クラス一のかわいさだった。私には何かわからない気持ちが湧いてきた。そして大森さんと話をすると恥ずかしかった。私は初恋をした。

　その頃のある日曜日、母親の日本舞踊の稽古仲間の女性が女の子を連れて我が家に遊びに来た。私と同じ年の子だ。私は何度もご挨拶をするようにと声をかけられた。「ひろしちゃん降りてきなさい」。私は頑なに二階の自室に閉じこもり返事をしなかった。私は女の子という生き物がこの世にいること、その事実が私の心を惑わすことに気づき始めていた。私はそんな生き物と何を話したら良いのか、皆目見当がつかなかったのだ。そういえば私の周りに女の子がいたためしはなかった。大森さんは僕が初めて話した女の子だ。ある日の習字の時間、僕の字はあまりに下手で、見かねた大森さんが直してくれた、というより書いてくれた。斎藤先生にはすぐにバレて私は軽く頭を叩かれた。僕はその時人生で初めて幸せに浸った。

私は極端に人見知りで、恥ずかしがり屋で、引っ込み思案だった。

ある朝、朝礼でみんなと歌を歌うことがあった。私の声は透き通り音程も確かだった。斎藤先生はそれに気がついて、その声の主を探そうと一人一人聴き分けながら僕のそばに近づいてきた。僕はといえばその時、声を潜めてその声の主が自分であることを秘した。あの時僕の美声が発見されていたならば、また別の人生もあったかもしれない。ある日の算数の授業、幾何の問題が黒板に図形で描かれた。僕にはすぐにその解が出た。わかった人は手を挙げてください、斎藤先生が言う。誰も手を挙げない、し〜んとした間があって、僕は手を挙げることができない。人間社会の中で目立つことがあまりにも僕に緊張を強いるのだ。

ある日クラスメートの染谷君の家に遊びに行ったことがある。染谷君は一年中半ズボンで着替えることもなく、シャツの袖はてかっていた。その一部屋のアパートは乱雑を極め、お母さんは夜いないのだと言う。私は世の中には階級があるのだということを知り、心が少し痛んだ。安達君の家に遊びに行った時、庭付きの2階建で、お手伝いさんが紅茶にケーキを出してくれた。お父さんは東大出で朝日新聞の記者だという。安達君はクラス一の秀才で学級委員も務めている。

私は知識にも階級があるのだと思った。

4年生になると私には家庭教師が付けられた。母は私をミッション系の私立中学に入れたいと思ったらしい。女学校時代の淡い恋の思い出が、教会活動を通じてだったことに遠因があるらしい。自宅から近い立教中学を受験することになったのが、私の一生で唯一の受験勉強だ。神戸《かんべ》先生は慶應医学部の学生で、勉強というよりも遊び相手のようだった。私の自然科学への興味を導いてくれた。まず鉱石ラジオの組み立てをすることになった。初めてハンダ付けを教わり、銅線を部屋中にはり巡らせて、短波放送をイヤフォンで受信できた時には心が躍った。ある日先生はリスの骨格標本を持ってきて見せてくれた。リスは哺乳類で人間も哺乳類に属し、このような下等な動物から人間に進化したのだと言う。私は、ではリスは何から進化したのかを尋ねてみた。生命は海中で進化し陸に上がったのだと言う。では海中の生命はどうして生まれたのかを聞いてみた。するとそれは有機物の発生で、君には難しすぎるとの答えだった。私はなんだやっぱり解らないのだと思った。

小学校の斎藤先生の授業でも印象に残る授業があった。日光写真の実験だ。先生は薄青色の感光紙の上にスプーンを載せて、窓際の直射日光の下に置いた。暫くしてスプーンを外してみると、そこには鮮やかにスプーンの形が転写されていたのだ。前日に家から面白い形の、小さな物を持ってくるように言われていた。私は栓抜きと櫛と蟬の羽を持ってきていた。慎重に感光紙の上に構図を決めて、私の日光写真は完成した。私はこの実験は大人になってからも続けようと思った。しかし本当に、一生をかける仕事になるとは。

お堀端にて

斎藤先生はこのクラスの卒業と共にご主人の転勤で、バンコックへと旅立たれた。4年間、クラス替えもなく、この58人の子供たちを一人一人、我が子のように慈しみ教えてくれたのだ。

立教中学

昭和35年、公立の小学校から私立の立教中学へ通い始めると、校内の雰囲気はがらりと変わった。

みんながお坊ちゃんで育ちが良さそうだった。しかし中には荒れる子もいた。松平家の子孫の松平君は、ある放課後、学校の窓ガラスを破りまくり、退学していった。私は良家の子には良心が反比例して育つのだと思った。

巣鴨から池袋の校舎までは自転車通学で、コンクリートの高い壁に囲まれた巣鴨拘置所の長く高い塀の横を通った。あの陰気な印象が私に負けた戦争を実感させた。この塀の内側で東條英機という大将が絞首刑になったのだと、近所の大人がひそひそ話をするように私に教えてくれた。時折の電車通学の時は、池袋西口の駅前に都内では最後まで残った戦後の闇市を抜けて通った。駅前には病院服を着た傷痍軍人達がアコーディオンで「ここはお国を何百里」の満州のメロディーを奏でていた。戦争の痕跡はまだ街に散見されたが、学校で戦争のことを習うことはなかった。

闇市の内部は迷路で、混沌が渦巻いていた。戦後の焼け跡の無法地帯に廃材で作られたバラッ

立教中学入学の朝

クが立ち並び、校則で立ち入りは禁止されていたのに、私はここが何故か好きだった。私の大人になってからの廃墟趣味は、この頃すでに心に棲みついていたらしい。朝、一坪程の店には老婆が寝ていた。午後の下校時、老婆は串に臓物を刺していた。私は人間の生業《なりわい》というものを知った。ある店には大鍋が煮えたぎり、なんの肉ともしれない怪しい鍋を囲み、昼日中、酔人がたむろしていた。ある日のこと、この一帯は封鎖されて立ち入り禁止になってしまった。それから数年後、何もない更地になり、今は東京芸術劇場もある近代都市になってしまった。近代という化けの皮をかぶってしまったのだ。私は焼け跡から立ち上がった雨露を凌ぐだけの住まいに、人間の活力を感じる。応仁の乱の焼け跡にも同じような市場が自然にできただろう。信長の安土城下の楽市楽座もこんな賑わいだったのだろう。大災害や戦争で、壊れては再生するのが日本の中世から近世の都市だった。しかし戦後都市の近代化と高層化は、壊れる時の悲惨ばかりを想像してしまうのは穿ち過ぎなのだろうか。

週に1回、朝の礼拝は大学の中にある蔦の絡まるチャペルで厳かに執り行われた。父と子と聖霊を顕わした三段の祭壇に向けて、私は聖歌隊の一員としてバルコニーから賛美歌を歌った。まだ声変わりのする前のソプラノの自分の声に陶酔していって、やはり神様はいるような気がした。武田チャプレンのお説教が続いた。父が神で子が人、しかし聖霊は何なのだろうと思った。

立教中学はアートにも熱心で、週に2回の授業があった。斉藤先生の油絵の授業は厳しかった。「顔面」と渾名されていた斉藤先生は半抽象の馬の絵で高名であった。小学生が描くような窓を水色に塗るような絵は徹底的に否定された。よく見ろ、窓は黒いのだ、と怒鳴られた。油絵のキャンバスの下地は二日前には塗っておかないと乾かない。当日塗った生徒は、そのキャンバスで頭を叩かれ、髪にはべっとりと白い絵の具が着いた。

しかし絵に対する情熱は燃え出ずるようだった。大学食堂の壁に掲げられていた大作の馬の絵はその躍動感を見事に捉え、馬は前足を高く掲げ、天を翔けていくようだった。半ば抽象のその絵を通して、私は表現の基本を斉藤先生から学んだような気がする。

もう一つの授業は平田先生の木彫の授業だった。桜の角材と万力を一人ずつ与えられ、ペーパーナイフを削り出すのだ。この授業で私は最高点を取った。模型少年だった私は、小学生の頃から家に出入りの大工の中沢さんにせがんで、鑿の使い方を教えてもらっていたのだ。中沢さんと二人で、愛犬「松姫号」の犬小屋を作ったりした。私は木工にはすでに精通していた。私が模型少年だった頃、模型の素材は木だった。零戦の模型キットには図面と木材と型紙が入っていて、その木材に型紙をあてながら彫刻刀や鉋で零戦の機体や翼を削り出さねばならなかった。形ができると紙やすりをかけて最終形を整え、下塗りをしてさらに磨き最後にラッカーで塗装をして出来上がりだ。零戦完成には半年を要した。ところがその頃、突然プラモデルなるものが登場したのだ。形はすでにできている、色も塗られている、あとは接着材でパーツを付けるだけだ。二三日で完成してしまう。私は憤りを感じた。私の職人技が水泡に帰したような、技がなくても誰でも作れるプラスチック模型の出現に、私は便利になったこの世を呪った。

思い起こせばこの頃から大工の作る木造住宅は、住宅メーカーの作るプレハブ住宅に急速に切り替わっていった。まるで量販店で冷蔵庫を買うように、住宅展示場でペラペラの家を買う。こうして腕の良い大工は淘汰されていく。日本文化は下り坂を転げ落ちていったのだ。プレハブ住宅に使われる新建材は、多くが石油を原材料として作られる。偽の石、偽のレンガ、偽の土、家の外壁は全て偽もので覆われる。そこに住む人の人間性も偽物に同化せざるを得ないのだ。関東平野を侵食するプレハブの街に、私は悪寒を感じる。この街が壊滅し燃えるとき、人々は石油製品の燃える有毒ガスで死んでゆくのだろうと想像してしまう。私のプラモデルとプレハブへの嫌悪が私の心を陰へ陰へと導いて行く。

この頃私は本格的に写真に打ち込むようになった。父親は買ってきた高級機マミヤ6を使いこなせなかった。6×6ブローニー判の蛇腹付カメラに私はすぐに習熟した。鉄道模型にはまっていた私には蒸気や電気の機関車を撮影するという課題が待っていた。大工の中沢さんと一緒に押入れを改装して暗室を作り、現像手法も覚えてしまった。小学校の日光写真の体験は新たな段階に入り、私の写真家への道が次第に準備されてきたようだ。父親の不器用が私をこの道に導いてくれたのだ、不器用には感謝しかない。

立教中学担任の伊藤先生には文学に目覚めさせてもらった。1年の時、中学生として読むべき小説として、ヘルマン・ヘッセの『車輪の下』と『デミアン』を推薦してくれたのだ。若者の心の葛藤を描いたこの小説は私を文学の面白さへと導いてくれた。それ以来私の本棚は膨張を続けている。私がこうして文章を綴れるのも、読書体験の賜物だ。文体とはその人の心の姿だと思う。素直な人の素直な文体、ひねくれ者のひねくれ文体、私はどちらかというと後者に近く育ってしまったらしい。

唯物史観

立教高校に進学して2年目の授業に足立先生の倫理社会があった。人間の社会の成り立ちとその歴史を、人間の生産と労働の側面から考える。すると商品という物の生産と交換の歴史として捉える事ができる。人間の歴史を商品という物の歴史として捉えるので、厳密に科学として社会科学が成立する。そこに神は必要とされない、宗教は阿片だと言われた。私はびっくりすると同時に感銘を受けた。キリスト教を教育の理念とする学校で無神論が語られるとは。高校の同学年には後に音楽家になる細野晴臣、『三丁目の夕日』を描いた漫画家の西岸良平がいた。

大学への進路は迷った。私は物理学に興味を持って理学部を目指そうと思った。立教大学理学部には高名な理論物理学者の武谷三男教授が在籍する。私は名著と呼ばれる『弁証法の諸問題』を買って読み始めたが難解だった。それに私は数学が苦手だ。結局、経済学部へ進んでみると、教授陣はほとんどの先生がマルクス経済学者だったのだが、それには理由があった。戦後の赤狩りと呼ばれたレッドパージで、公立大学を追われたマルクス経済学者を、主に立教大学と法政大学が引き取ったのだ。無神論のマルクス経済学者達をキリスト教の大学が引き受ける。私は神の愛とは広大無辺なのだと解釈したのだが、実際は教授会が学問の自由を保証されていたのだ。

大学3年になると私はゼミの教授として逆井孝仁先生に師事した。先生は東大をレッドパージで追われた一人だ。1時間半の講義は目眩《めくるめ》く進んだ。まず問題が提起され、関連する話題は世界史、日本史、科学史のあらゆる局面に及び、最後にまた提起された問題に戻る頃には答えが用意されている。私の思考様式は逆井教授に負う所が多い。私は理路整然とはどのようなことなのかを学習した。天皇制については、天皇には基本的人権もない、選挙権も被選挙権もない、おいたわしい境遇におられ、極めて非人間的な境遇だ、人権はなく神権が明治憲法で定められたが、戦後は象徴になられた。君たちはこの国の姿を考えなければならない、と大きな課題を提示された。この問いは重く今に至るまで考え続けることになってしまった。国体とは何か、その時代、知識人の多くが左翼だった。多くの学生は朝日ジャーナルを読んでいた。朝日ジャーナルは急進左派の機関誌の役割を果たしていて、そして私もその色に染まっていたが、今振り返ってみると、そこから徐々に右展開をしてきて今日に至っているようだ。今は国体が護持されて良かったと思えるようになった。朝日新聞は戦前、大政翼賛会と共に大衆に戦争を煽り発行部数を飛躍的に伸ばした。戦後は手のひらを返したように左翼革命を煽る。全く同じ手法だ。付和雷同に乗らない自己を自己分析できる俯瞰力こそ大事だと、今日この頃思うのだ。

夏には先生の生家である長野県安曇野の立派な茅葺の屋敷で合宿が行われた。そこで私は生まれて初めて、漆黒の闇と満天の星を見て涙がにじんだ。私が大学を卒業する1970年、学園闘争は前年の安田講堂陥落を受けてピークを過ぎていたが、依然大学はバリケードで封鎖されていた。私はベ平連のデモに参加した。集合場所は紀尾井町の清水谷公園、そこから国会周辺を練り歩いた。機動隊との衝突では、警棒を振りかざす隊員から、こんなに早く走れるのかと思うほどの速さで逃げた。残念だったのは逆井ゼミも中断され、卒論に予定されていた田口卯吉論が書けなかったことだ。田口卯吉は幕臣の家の生まれで、明治初期、日本初の経済学者と言われる人物だ。『自由交易日本経済論』（明治11年）と『日本開化小史』（明治10～15年）を上梓している。田口の文章はまだ漢文調で読みにくいが、「保生避死」、つまり人間が生きる最低限の原理、それは生き延び死を避けるということ、また「私利心」が経済の原則である、などの開明的な思考を示し、そもそも経済活動とは何なのかという根本的な命題を立てている。田口は幕末にあって長老派のアメリカ人宣教師から英語を習得している。アダム・スミスの『国富論』を読んでいたらしい。その邦訳は後年彼の弟子たちによって訳出されている。

卒業証書は郵送で送られてきた。私は就職する気もなく、実家を継ぐ気もなかった。母も薄々、この子には家業は向いていないと思ったらしい。あなたは自分の好きな道を歩きなさいと言ってくれたのは有り難かった。その頃写真の腕は上達していた。高校の写真部から大学では広告研究会で腕を磨いていた。カリフォルニアのアートスクールに入学審査のため作品を送ってみると、思いがけなく2年飛び級で3年からの入学が許可された。こうして私は渡米することになったのだが、その後の一生のほとんどを海外で暮らすことになろうとは夢にも思っていなかった。

パスポート　1970

放浪の旅

閉塞感に覆われた日本から、ロサンゼルスに着いてみると、まるで別世界だった。毎日が陽光に溢れ、街そのものが新品で輝いていた。ちょうどマクドナルドが、アメーバーの分裂のように広がりはじめていた頃だ。私の入学した学校はアートセンター・カレッジ・オブ・デザインと呼ばれ、大学なのだがプロを育てる職人養成所のような所で、特にカーデザインでは世界のトップと言われていた。私はここでビューカメラとよばれる蛇腹付き大型カメラの取り扱いと、現像処方に習熟した。私は写真家として尊敬でき、技術的にも高みを目指す目標となる作家を探してみた。私を導くメンターとなるべき作家だ。そしてその人をアンセル・アダムスに定めた。ヨセミテの風景写真で高名な写真家だが、私は、そのモノクロームの白から黒へのすべての階調に素晴らしい表情がある、その技術を体得したいと思ったのだ。ゾーンシステムという技法がこの人により提唱されていた。光に満ちたこの世界を観察するとき、闇の漆黒を0度、まばゆいハイライトの白を10度、として光の階調を10段階に分けて見るという方法だ。例えば青い海の白い雲を見るとする。海はゾーン4、雲はゾーン6、などと瞬時に判断できるように自分の眼を鍛えるのだ。

旅の途路　1973

美しい印画を作るには美しいネガを作らねばならない。ネガには光の階調を美しく捉えることのできる許容度があり、私はそれをゾーンシステム上の4階調以内に収めることに決めたのだ。黒の中にも白の中にも美しい階調がある。

私は世界をモノクロームで見る訓練を己に課した。眼のスイッチをモノクロに切り替えると、世界は10段階の白黒階調に見えるようになったのだ。

アンセル・アダムスの名言に「ネガはスコアでありプリントは演奏だ」がある。ピアニストでもあったこの写真家の言い得て妙な言説だ。最高のネガを作るために、私はアンセル・アダムスの写真教科書全5冊をしらみつぶしに読んだ。そこには全ての現像処方が記載されていた。写真発明草創期には、現像液処方は「秘伝のタレ」のように公開されなかった。しかしアダムスは後進のためにその処方を全て公開していたのだ。私はその全ての処方液を自分で溶き、試してみた。そして私の至った処方はメトール単体という、19世紀の最も単純な処方液だった。こうして私は世界をモノクロームに、そしてネガティブとして見るという性癖を身につけることになった。写真家とは因果な職業だ。

1年経って、私は休学をして世界放浪の旅に出た。『1日5ドルで世界をめぐる方法』という本が売れていた。その当時の若者は好奇心に満ちていた。世界中を放浪し、文明に逆らうように生きるヒッピーと呼ばれる世代だ。フラワーチルドレンとも呼ばれていた。私もその世代に属する。私は一度日本に戻り、横浜から船で津軽海峡を横切り、3日がかりでナホトカに着いた。このルートが最安値でヨーロッパにたどり着く方法だった。そこからシベリア鉄道でモスクワへと向かったのだが、2日目に機関車が故障、立ち往生した挙句軍用機に乗せられた。暖房はなくプロペラエンジンから暖気を取る太いチューブが通路に引きずり出され、乗客はそのチューブに張り付いて凍えないようにした。ほうほうの体でたどり着いたモスクワは暗かった。郊外の安ホテルで目を覚ますと人々が長蛇の列を成している。良く見ると林檎を買うための列だ。私が一瞬夢見た共産主義の理想は全く機能していなかった。赤の広場では、私の穿いているジーンズを売ってくれと、怪しい若者が近づいてきた。

モスクワからポーランド、チェコスロバキアと暗い旅は続いた。横浜を出て2ヶ月程経っただろうか、ようやく西側のウィーンに着いた。その晩私は天井桟敷でモーツァルトのオペラ、「ドン・ジョバンニ」を観た。そして私は自由と文明に触れる喜びを心から味わったのだ。コーヒーにケーキ、涙が出るほど美味しかった。そこからさらにユーゴスラビアを横断し、ギリシャで暫し古代文明に思いを馳せた後、パリに飛び友人の住む屋根裏部屋に潜り込みパリを偵察した。その後バルカン半島へと旅を続け、リスボンから100ドルの飛行機を見つけニューヨークへ向かい、ようやくロサンゼルスに戻った頃は出発から1年が経っていた。この世界一周は何か私に自信を与えた。あの内向的な子供は大きく変身したようだった。

その頃私は吉福伸逸《しんいち》に出会った。吉福は当時バークレーの大学でサンスクリットを学んでいた。私はカリフォルニアに来て以来、ヒッピームーブメントの中で、禅の悟りについてよく聞かれた、「お前はもう悟ったのか」と。これには困ったが、とりあえず悟ったというやつは悟っていないのだ、とごまかして、仏教関係の基礎資料を読み漁っていった。鈴木大拙の『禅と日本文化』は広く読まれていた。英文で書かれたこの入門書に私は日本文化の面白さを教えてもらうこととなった。皮肉なことに私は日本で西洋哲学を、アメリカでは東洋哲学を自習することになったのだ。吉福伸逸とは不思議に馬が合い、多くの時間を共に過ごした。その頃出版が始まったカルロス・カスタネダの『ドンファンの教え』を吉福から紹介され、私はのめり込んでいった。カリフォルニアの若い文化人類学者カスタネダはメキシコの呪術師ドンファンを調査しに行くのだが、逆にその魅力に取り込まれ、弟子となって、全く異なる世界の隠されたリアリティーに目覚めていくという話だ。私は神秘主義的な趣向を身につけ、さらに私自身の心の探求に向かうことになる。

吉福伸逸は74年帰国し、精神世界ブームの火付け役となり、トランスパーソナル心理学を日本に紹介することになる。吉福は66年に早稲田大学在学中にジャズベーシストとして頭角を現し、嘱望されてボストンのバークリー音楽院に学ぶが挫折、メキシコに逃れて東洋神秘主義に目覚め、カリフォルニアに来ていたのだ。近年この人の数奇な一生をまとめたアンソロジー『静かなあたまと開かれたこころ』が出版された。私はその本の帯への紹介文を求められて書いてみた。

「七〇年代初めのカリフォルニア。私は吉福伸逸との交流の中から、私の心の内に潜む、非日常のリアリティーに目覚めた。そして私はアーティストになった」

現代美術への道

カリフォルニアでの日々は写真の修行というよりも、若者達が大人の社会に対抗軸を作る、カウンターカルチャーへの興味へと向かっていった。時代はベトナム戦争が泥沼化する中で、ウッドストックを象徴とする新たな若者の文化が花咲き始めていた。当時ヒッピーと呼ばれた若者達の中からは、スティーブ・ジョブズのような新しい価値観をもった人物が未来を開拓していくことになる。

気が付くと私はアートスクールを卒業していた。手に職はあるので、私はニューヨークで職探しをすることにして、当時乗っていたフォルクスワーゲンのキャンピングカーで大陸横断の旅に出た。一ヶ月ほどかけてニューヨークに着き、友人のロフトに転がり込んだのだが、次の日の朝、運んで来た家財道具は車の中から消えていた。ここはカリフォルニアとはうって変わって、魑魅魍魎の跋扈する魔界だったのだ。

私は気を引き締めて仕事を探した。とりあえずプロの写真家の助手をすることにした。華やかに見えるファッション撮影も、編集者が厳しく口をはさむ。百貨店のカタログ撮影もした。流れ作業のように1日100カット以上撮る。いい金になるのだが、一ヶ月程して私はある諦念に達した。この仕事は私には向いていないのだと。思えば私は私の作り出す物に関して人から指図を受けた事がない。

ニューヨークにも土地勘ができたころ、私はソーホー地区の画廊巡りをした。ある画廊でドナルド・ジャッドの展覧会が開催されていた。広大なスペースにベニヤの箱が、壁に架かるように規則正しく並んでいる。よく見るとみな同じ大きさだが中板に角度が付き、みな構成が異なる。工作精度は抜群だ。私は現代美術に始めて出会った気がした。その近くの画廊ではダン・フレビンの展覧会があった。色の付いた蛍光管が空間を光と色で満たしている。アートの新しい潮流はミニマリズム、コンセプチュアリズムと呼ばれ、私はこれだと思った。そこには私と同類の精神が匂い立っていた。私には子供の頃からの空想癖がある。この一見病んだ精神を商品化するには現代美術しかないと思い当たったのだ。その時、私は職業写真家を断念して、現代美術作家として出発することを心に決めた。

しかし現代美術といってもメディアは何にしよう、絵画も彫刻もやり尽くされている。その否定の上に現代美術はあるべきだ。その時、私の心にある野心が芽生えた。写真はアートではないと思われている。よしんばアートだとしてもアート界の二流市民だ。この二流市民を一流市民にしてみせよう。こうして私は写真を媒体として写真を裏切り、現代美術作家として世に出ることを決意した。私は東32丁目のボロビルの二階を、友人の井津建郎《けんろう》と借り、暗室を手作りし、曲がりなりにもスタジオを構えた。

初めての冬が来た。ここは商業ビルなので夜には暖房が切れる。骨身にしみる寒さが堪えた。外気が零下5度ほどになると、水道管が凍りつくのを避ける為スチームが時折通う。私は気温が極寒になるのを祈った。その頃に見た夢は夢まで凍りついていた。

その頃、吉福伸逸の紹介で見田《みた》宗介《むねすけ》氏がニューヨークの私のスタジオを訪ねて来た。見田さんは東大教養学部の助教授で、南米とメキシコの原住民の調査を終えて、帰路に着く途中、ニューヨークに寄ったのだ。私は呪術師ドンファンの教えにある、ペヨーテという幻覚性植物についての体験を語った。人類草創期の共同体での宗教儀式では、幻覚性植物の使用による共同幻想の創出があるという。ほんの少量の幻覚性植物が、私の体内に入ることによって、私の意識はめくるめく変容してしまう。今まで確実であると思えていた世界の根拠が、心の中で崩れていく体験、自我とは何か、自分とは何なのかが曖昧模糊のうちに溶けていった。その時私が語った体験談は、見田さんが真木悠介のペンネームで書かれた『気流の鳴る音』に詳しく書かれている。

翌日、私は画家の宇佐美圭司《うさみけいじ》も誘って、三人でフィラデルフィア美術館のマルセル・デュシャン詣でに出かけた。現代美術の世界で生きようと決心した私は、現代美術の教祖的存在である、デュシャンの実作を見ておく必要があった。特に遺作と呼ばれる作品が、デュシャンの遺言の指示に従って美術館内に組み立てられてから数年が経っていた。「1、水の落下、2、照明用ガス、が与えられたとせよ」というタイトルを持つ作品は、実作を放棄したと思わせていたデュシャンが、人生の最後に仕掛けた罠だった。デュシャンは生前、墓碑銘を決めていた。墓を訪れる人へのメッセージだ。「そして死ぬのはいつも他人」。デュシャンを慕って詣でる人へのなんという諧

WOODEN BOX 2014

諧だろう。もう一つデュシャンの言葉「答えはない、なぜなら質問がないからだ」。私が父から受け継いだ落語家の精神をより知的に研ぎ澄ますとデュシャンになるような気がするのだが、こんなことも言っている。「私は幸運だった、1日も食いっぱぐれることもなかったし、金持ちにならずにもすんだ」。やはりデュシャンは教祖様だ。

ジオラマ

１９７４年、ニューヨークに住み着いて私がまずしたことは街の探索だった。私は完成したてのワールド・トレードセンターに昇り、おのぼりさんの気分だった。それから市内の全ての美術館を巡っていった。ＭＥＴやＭｏＭＡ、グッゲンハイムと続くリストの最後にアメリカ自然史博物館があった。ボザール風の立派なファサードを持つこの博物館は広大で、一日かけても見切れない程だったが、ある一室に入ると私は既視感と共に違和感を覚えた。白熊がアザラシに一撃を加えて、いまや喰おうとしている場面に出くわしたのだ。もちろんこれは剝製の白熊の展示なのだが、私にはその白熊が一瞬、生きているかのように見えたのだ。私には子供の頃からの性癖というかおかしな感覚があった。それは存在の希薄感とでも言うべきもので、私の見ているこの世界が本当に実在するのだろうか、というリアリティへの不信感だった。精神疾患として捉えると「離人症」と言われるらしい。しかし私はこんな心の有り様を病気だなどとは一度も思ったことはない。むしろ私は人とは違うのだ、ということに喜びを感じるのだ。医者に行くから病名を貼られる。最近病名は増える傾向にある。昔、人の死は自然死、または老衰だった。今は膵臓癌やあらゆる癌、心臓病などなどのレッテルを貼られる。そもそも死が病によって訪れると考えるのが間違っていると思うのだ。生は病によって死へと導かれるのではない、もっと何か崇高なものによってあの世へと旅立つのだ。私は自然界の中での人間の存在とその膨張こそが、自然が病気にかかってしまった原因なのではと疑い始めているほどだ。人間の生そのものが自然界の病なのだ。

死んだ白熊が生きて見える、それは逆説的に見ると、生きているものは本当は死んでいるのではないかという、私の幻覚を証明するもののように思えた。私は暫しその場に佇んで内省した。何が私にそう見えさせるのか、私は片眼を閉じて白熊を見てみた。すると急に距離感が失せて、後ろの書き割りの絵との境目が消えた。人間は二つの眼で見ることによってパースペクティブを感じるのだ。その時私は思った。片眼で見ることとは、レンズが一つしかないカメラで見ることと同じなのではないのかと。ジオラマと呼ばれるこの展示物は大きなガラスで覆われている。そのガラスの表面には美術館の無数の照明が映り込んで私の見てみたい視覚を妨げていた。私はガラスに顔を寄せて目の上を両手で覆い、反射を消してみた。驚いたことに、私の視界からは生死の境目が消えていた。私はいつものように存在の希薄感を幻視しているのだろうか、いや、今度ばかりは違う。私は私の幻視を写真に撮って幻視が実在することを証明することができるかもしれないと思った。

私は買ったばかりの8×10ディアドルフ・ビューカメラと、シュナイダーの広角レンズを使えば、かなりの精度でこの幻視感を実写化できると踏んだ。問題は6メートルもの間口のあるジオ

POLAR BEAR 1976

ラマのガラスを、反射を避ける為に黒い布で覆わなければならないことだ。私はゲリラ戦法に打って出ることにした。

まず自然史博物館の広報課に電話をして、観光客が博物館内部で写真をとっても良いかを尋ねた。もちろんＯＫだ。私は一番人の少ない日を選んで、一人でかなりの機材を運び込むことに成功した。そしてリハーサル通りに素早く黒布とカメラをセットした。やはり監視員が巡って来た。許可を取っているかと聞かれて、もちろん取っていると堂々と答えると、そのまま去って行った。まさかこんな大掛かりな撮影が無許可だとは思わなかったのだ。私は冷や汗をかきながらもほっとして、白熊の他にも3カット撮ることに成功した。

その夜、現像液から現れたネガの像は、私に大きな期待をもたらした。ネガのトーンは柔らかく美しい階調に満たされていた。ネガが美しければポジも美しく仕上がる。私は自分の心のネガの部分が、美しいポジティブになって、この世に日の目をみることを願った。次の日、コンタクトの8×10プリントの像が現像液から朧げに現れ出た時に、私は息を飲んだ。その像はまるで生きているようにしか見えなかった。こうして私は現代美術作家としての第一作目を完成させたのだ。私は運が良かった。

ニューヨークの日本人

私がニューヨークに移り住んだ１９７０年代半ば、ニューヨークは日本人アーティスト達で溢れていた。おそらく百人は下らないだろう。篠原有司男《うしお》をはじめとするネオダダ組が一番多かった。読売アンデパンダン出品作家などへの、ロックフェラー奨学金交付が功を奏していた。

その中でも小野洋子は別格で、50年代終わり頃にはニューヨークにいて頭角を現していた。その後ジョン・レノンとの関係で世間の耳目を集め、ビートルズを壊した女としてその評価は毀誉褒貶相半ばしていた。その頃は丁度ジョン・レノンに中国系米国人のガールフレンドができ、ロサンゼルスに別居していた頃だった。私は一度、彼女の住むダコタハウスに呼ばれたことがある。麻雀の面子が足りなかったのだ。呼び鈴を押すとドアの施錠が外れ、そっと開けると長い廊下の先に窓からの陽光が光り、その光を後光のように受けたシルエット姿で私を迎えてくれた。香が焚かれた立派な密教風の祭壇があり、白いグランドピアノと共に、クリストの梱包作品が床に置かれていた。キッチンでの麻雀に私は一人勝ちし、２５０ドルの小切手を貰ったのだが、今思えば、あのサインは取っておけば良かった。

篠原有司男のロフトには毎晩ネオダダの仲間達が集まり、安酒を呷りながら熱く芸術論を戦わせていた。私も一番の若輩として論戦に参加したが、一ヶ月程で、日本の芸大の教育課程を卒業した気分になった。皆、芸術至上主義を熱く語ったが、熱い生き方と作品の質には何の関連もなかった。ある晩、荒川修作が私に言った。「写真は小切手だ」と。当時、写真がアート界の中で多少売れ始めていた。荒川は、写真は小金で買える装飾品で、アートではないと言っているのだ。私はむかついた。猛烈に反論し朝になったが、深酔いして何も覚えていない。それから四半世紀後、直島での企画展に出品作家として招待された時、同じ出品作家として画家の木下晋《すすむ》に会った。木下は老女の皺を克明に鉛筆で描く作家だ。木下は私と荒川修作の激論を観戦していて、あの論争は凄かったと言われた。どうやら私は荒川に向かって、「あんたはデュシャンピアンを気取っているが、それはデュシャンに対して失礼だ」と言ったらしい。

河原温《かわらおん》は孤高な感じで日本人とは群れなかった。毎日日付を書くのではなく描くというコンセプチュアルアートの先鋭として知られつつあった。常日頃から私は日本人ではない、地球に住んでいる地球人だ、ある時は旅行者だと言っていた。作家はみな個性が強く風狂な人物が多い。私にはそんな風狂があるだろうかと思うと、行く末に一抹の不安を感じるのだった。現代美術作家として画廊との契約を結ぶ段になって、私は先輩として温さんを訪ねた。作家の取り分について尋ねたところ「君の場合には取り分50パーセント、僕の場合には展覧会の前にすべて売れているから70パーセントだよ」と言われた。とにかく話し好きで、滔々と持論を述べる。ある日、日本への飛行機の搭乗口でばったり会った。隣に座ると話し始めて13時間、主に経済と政治の裏話、

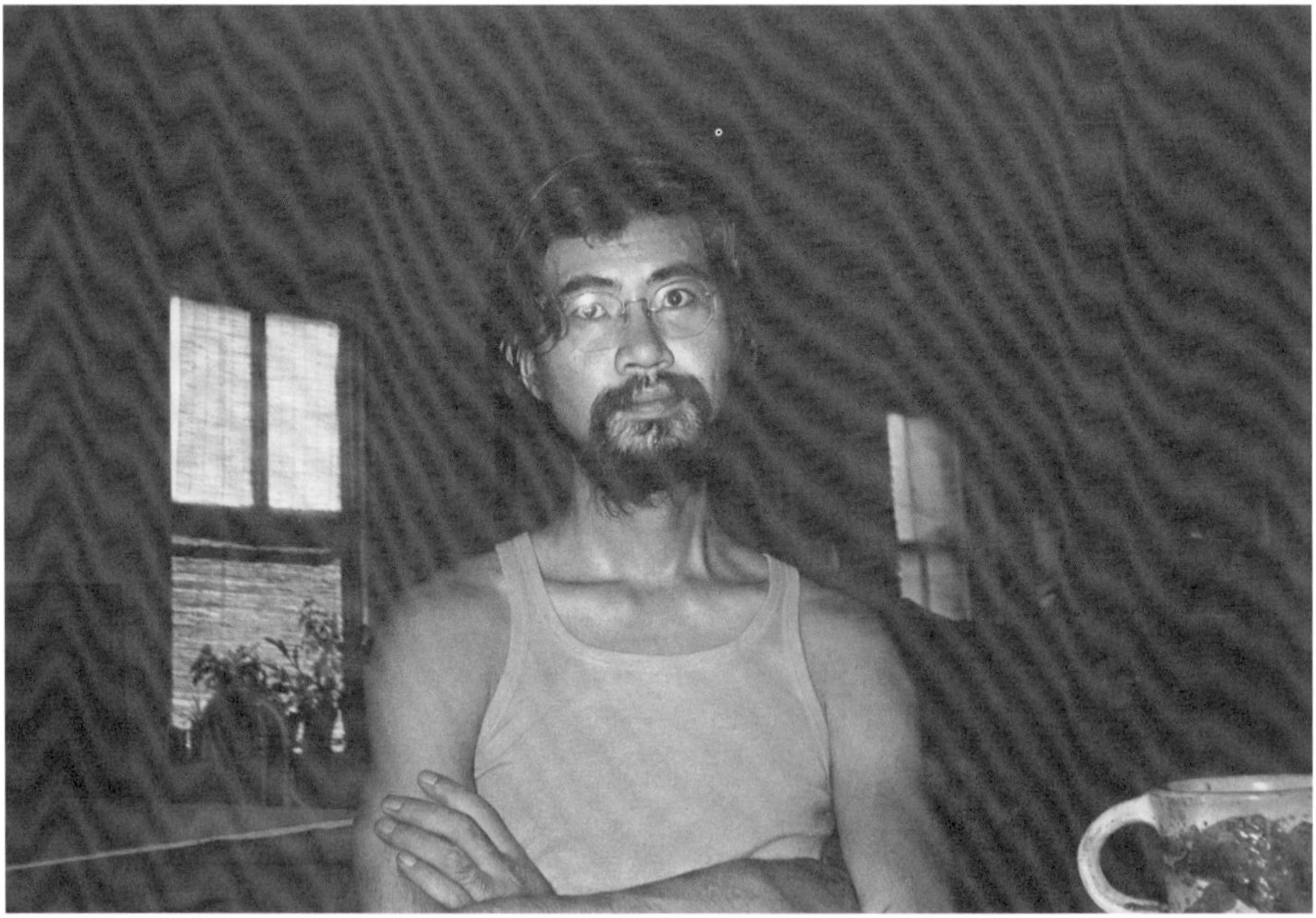

1976年の三木富雄　ニューヨークにて

各国の諜報機関の仕組みなど、アートの話題は一切無かった。

私が一番親しくなったのは三木富雄だった。私よりひと回り近く年上なのだが妙に馬が合った。三木富雄は「耳の三木」と呼ばれ、耳の彫刻をアルミで作っていた。「私が耳を選んだのではない、耳が私を選んだのだ」これは当時語り草になった。関西の具体美術協会にいたヨシダミノルと3人で、三木が帰国するまでの1年間、多くの時を共に過ごした。ヨシダは電子機器を使うパフォーマーとしては先駆者で、プラスチックの宇宙船を造り、自分は宇宙人になりきっていた。三木は彫刻そのものの在り方に疑問を持っていた。三木は私に、「僕は粘土で耳を作り完成させながら壊していく、その過程を写真に記録してくれ」と言う。作品として、物は存在せず、その過程の記録だけを残したいと言うのだ。私は意気投合して撮影したのだが、この作品が後に思わぬ展開を生むことになる。

あれ程いた日本人アーティストも年月と共に、一人去り、二人去り、少なくなっていった。奨学金で来て、しばらくして、残した妻を呼び寄せ暮らし始めて数年経つと、妻には現実がはっきりと見えてくる。妻は健気に日本食レストランのウェイトレスとして働き、夫を支え、ニューヨーク画壇で花咲くのを待つ、というのが定番だった。ある日、ある作家は、妻に深々と三つ指をついて申し渡された。「いい夢を見させていただきました」と。そして夫を一人残し帰国してしまった。年齢が30代半ばを超える頃、帰国する人も多い。日本の公立校で美術教師になることができる年齢制限が近づくからだ。

そうはいってもかなりの数の日本人作家は残った。画家を目指して、自分のアパートで大きな絵を毎日描いていた井出咲子さんがいた。発表の場もほとんどなく、ましてや売れることもない。大きなキャンバスは仕上がると、次のキャンバスが前の絵の上に被せられまた絵が描かれる。十数年の間にアパートの空間はキャンバスに占拠されて、自分がいる空間がどんどん消滅していってしまった。最後に彼女がした選択は、自分を消滅させることだった。友人の日本人達は集まって、場所を借りて弔い展を開いてあげた。本人も見ることのなかった引きのある空間での展示は私も見に行った。その抽象画はなかなかのもので、なんと数点がコレクターに売れたのだった。

　私の仲間に大木君がいた。素晴らしい金属の抽象彫刻を作っていた。仲間というのは大工仲間だったからだ。ノブ・フクイという日本人作家がいた。そこそこに売れていて画廊もついているが、この人には事業欲もあった。その当時、ニューヨークのソーホー地区には元は広い倉庫であったロフトに魅力を感じて、多くのアーティストが住み始めていた。その当時ロフトに住むのは非合法で、そこに住むには密かに改装しなければならない。そこで俄か日本人大工施工チームが組まれ、アメリカ人より器用な日本チームは評判が良かった。私も一時この仲間に加わりバイトをしていたのだ。この仕事で私は水道の配管溶接、一通りの電気工事、木製2×4《ツーバイフォー》工法による石膏ボード壁立て、コンパウンドという左官工事、それら全てを覚えこむことができた。これは後に自分のスタジオ施工に非常に役立ったし、何より後年の建築事務所立ち上げにも繫がってゆく。私は1年で足を洗ったのだが、この事業は拡大していき、ロフトをビルごと買い取り、改装を施して売るという不動産業になっていった。あるぼろビルを買い取り、ノブ・フクイと大木君はそこに住みながら改装を始めた。大木君は施工担当のナンバー2として、そのビルを自身の作品制作の為のスタジオにしながら働き続けていた。しかしビルを買い取ると、そこに違法に住んでいる住人を立ち退きさせねばならない。そこにはメキシコ人の若者が住み着いていた。弁護士からの立ち退き要求書が届き、激昂したこの若者は、日本人アーティストの親分のところへナイフを持って向かった。殺気に気づいた親分はドアを開けなかった。若者が次に向かったのは同じビルの違う階に住むナンバー2の大木君だった。ドアを開けたとたん胸を刺され即死だったが、次の日の朝まで遺体は発見されなかった。

葬式はハドソン川沿いの日本仏教会で行われた。3歳の喪服姿の無邪気な女の子がみんなの涙を誘った。大木君には才能があった。当時のニューヨークは無法地帯の危険な都市と思われていたし、本当にそうだった。貧乏アーティストは家賃の安い危険地区に住む。ある晩、私はイーストビレッジを歩いていた。すると突然1メートル先の目の前に重いマットレスが落ちてきて轟音を響かせた。見上げると10階程のビルの上に人影が走った。悪いいたずらなのか、怪我をさせて財布を抜こうというのか、直撃されたら私は死んでいた。この地区を深夜歩くときは、人影を感じたら踵を返して反対方向に引き返すのが鉄則だった。ポケットには20ドル紙幣を用意して、すぐに渡せるようにしていた。これが命の値段だと思うと安いものなのだ。

ニューヨークに住み始めて暫くすると私には二人の親友ができた。二人ともアーティストというか、ボヘミアンという方が近い。藤尾ヤスヒデは通称フジと呼ばれていた。神戸の大学で会計士になるべく勉強していたが、ある日世界放浪の旅に出た。ニューヨークに辿り着いて、篠原有司男、通称ギューチャンのロフトに潜り込んだ。当時は日本人放浪者の為に、ロフトの奥に蚕棚と呼ばれる2段ベッドの列があり、1日1ドルで若者が寝られるようになっていて、それが家賃の足しになっていたのだ。フジはそこで篠原有司男に強烈に感化されてしまう。会計士は断念してアーティストになる事にしたのだ。ギューチャンのロフトでは番頭格になり、毎晩流れてきた若者を酒の肴にして、「君は何を求めて放浪しているのだ」と尋問した。私もすぐにこの尋問仲間となり、意気投合して若者の悩みを聞き、そして揶揄した。この尋問で、フジ自身がアーティストになるしか道はないのだという事を自己確認する、退路を自ら断つ為の方法だった。

もう一人はフジの住む西27丁目のロフトの住人、エディー・フェラーロだった。頭脳明晰なこの若者は吟遊詩人とでもいうのだろうか、若いのに自伝を書いているという。自身の心の旅を書いているらしい。ニュージャージーの中産階級に生まれ、子供の頃から全て奨学金でエール大学を卒業している。日本文化に興味を持っていていつも質問が来る。フジと私は週二日ほど、テーマを決めてエディーにレクチャーをした。今日は東山文化について、次は信長のキリシタン政策について、その次は源平合戦の因縁となった保元平治の乱について。かなり詳しく英語で解説するという訓練は、私の英語力を鍛えていった。フジも私が邂逅した数少ないインテリだった。エディーはその代わり古代ギリシャ、ローマの神話を解説してくれた。伝説の盲目吟遊詩人ホメーロスの話を思い出す。フジはエルズワース・ケリーの抽象画に触発されて、絵を描き始めた。昼は何を作るのか街工場でメキシコ人労働者を管理する仕事を通して、スペイン語も話していた。問題は一つ、酒量が募り、アル中になっていったのだ。しらふだと借りてきた猫のようにおとなしい。酒が入ると談論風発、一気にスイッチが入る。私が議論の為に酒を勧め続けたのが裏目に出た。10年も経つと完全に中毒状態に近くなり、人格破綻していったのだ。ある晩、安居酒屋で飲んだ後、フジは言った。「俺が奢るから美人のいる飲み屋に行こう」。そこは銀座にも店があるピアノバーだった。当時企業戦士と言われ、モーレツ社員、などと呼ばれた日本人たちが、夜な夜な経費という金で傷を癒す場所だった。私には居場所がなかったが、フジは酩酊し、請求が私に回ってきた。目ん玉がひっくり返るような額だったが、私は支払い、それ以降フジとは絶交してしまった。その後10年ほどしてギューチャンから電話があった。フジが死んだという。小さなアパートにはジンや焼酎がケースでうずたかく積まれ、買い置きしてあったという。

エディーはというと、暫くフジと一緒に週末毎に立つ蚤の市に出ていた。フジが輸入する古着の日本の着物を売る商売だ。しかし40歳も過ぎた頃、突然ボヘミアンをやめてニューヨーク大学法学部に入学し、2年で弁護士資格を取ってしまったのには驚いた。ワシントンでの政治絡みの弁護士になったのだが、私がアーティストとして世に出る50代になってからは私の顧問弁護士にもなってもらった。友人が弁護士であるのは心強い。後年、私が小田原文化財団を立ち上げる為のアメリカ側の業務を担当してもらった。しかし4年前、急に体調を崩し、入院して一月もたたずに他界してしまった。特殊な霊力を持つとされる鉱物を見つけた、という普段の普通の手紙と共に、その石が私に突然、形見として残されていた。

過酷なニューヨークというジャングルでは生き延びることが課題だ。しかし最近は様相が変わってしまった。ジェントリフィケーションが進み、あれほど危険に満ちていたイーストビレッジやハーレムも、高級コンドミニアムの並ぶ安全な街へと変貌してしまった。無法地帯はジェントルマンの街になり、貧乏アーティストは駆逐されてしまったのだ。当時危険と隣り合わせで制作されていたアートは、今、金融商品となって、利潤動機のうごめく新種のジャングルとなった街で取引されている。マンハッタン島は高層ビルが大樹のように茂るコンクリートジャングルだ。クライスラービルやエンパイア・ステートビルが聳え始めてからもうすぐ100年が経つ。そんな大樹の陰に咲いた隠花が現代美術だ。花が落ちて実がつくまで生きていられる保証はない。もしや実が熟れたとしても、その果実は甘くも苦い味わいだ。

写真師事始め　処女名刺　1974

MoMA　作品購入

白熊の作品が完成すると同時に、他の2作も完成した。一つは「ハイエナ、ジャッカル、ハゲタカ」。アフリカのサバンナで、ライオンに仕留められたシマウマの肉の残りを貪る猛禽たちを捉えていた。画面の左端には早々に食事を終えたライオンのつがいが去っていくのを待っていたハイエナとハゲタカが争いながら肉の残りをついばんでいる。そしてまたその周りでジャッカルが隙を窺っているという図柄だ。もう1点はオーストラリアの草原で、ダチョウの卵を狙うイノシシを捉えたもので、ダチョウの両親は威嚇戦闘モードに入っている。その脇には生まれての幼鳥が2羽キョトンとしている。どちらも過酷な資本主義競争社会の頂点にあるニューヨークの様相に重なって見え、私は内心苦笑いをした。

自作の出来栄えに満足した私は、はたしてどのようにしてこの作品を世の中に出すか思案を巡らした。

まずは無名作家の登竜門として、ニューヨーク州政府が交付する助成金、CAPSプログラムに応募してみた。当時のアメリカには各種のアーティストに対する助成金制度があり、ひとつの助成金が取れると、次のさらなる高額な助成金が取れやすくなるようになっていた。私はこの時点で、博打打ちの生活に入ろうと決心したのだ。幸いにもＣＡＰＳプログラムはすんなりと合格し、６００ドルの小切手が送られてきた。当時スタジオ兼自宅のロフトの家賃が１２０ドルだったので、５ヶ月分の家賃ができたことになる。

その他の副業として、私は短い写真アシスタント時代に知り合った写真家達に向けて、カリフォルニアから乗ってきたキャンピングカーを使って、ロケーションバンサービスを始めた。朝、マンハッタンのダウンタウンで、モデルと写真家と撮影用の機材と服を乗せて、セントラルパークまで運転するだけだ。私は長い待ち時間のあいだ読書にふけった。道元の正法眼蔵、フッサールの現象学、志ん生の落語全集、脈絡は全くない。一日75ドルを稼いで、教養も磨くこともできたので、一石二鳥でお釣りもきた感じだ。

ある日私は耳寄りな話を聞いた。ＭｏＭＡの写真部にはポートフォリオ・レビューという制度があるというのだ。毎週木曜日に作品を持参して、次の週に取りに行く。コメントはしてくれないが、とにかく見てはくれるのだという。早速私は、その当時「スティル・ライフ」と題していたジオラマ「白熊」他の作品を持って行った。その意味は静物、つまり死とは命が静かであるという意味だ。翌週、何の期待もなく引き取りに行くと、秘書の女性が、「ジョン・シャカフスキー氏がお会いしたいとおっしゃっている」というのだ。私は、そ、そ、そんなつもりじゃー、と思った。私はＴシャツにジーンズで、いきなり写真界の天皇にお会いすることになったのだ。執務室に通されると、シャカフスキー氏は言った。「君の作品は面白い、美術館として買おうと思うが一体いくらかね」。私は正直に答えた。「今までに作品を売ったことがないのでわかりません。どうぞご自由に値段をつけて下さい」。返事は「君はまだ若くて無名だから500ドルで買うことにしよう」。こうして初売りはMoMAと決まったのだ。私が恐る恐る退席すると、先ほどの秘書がすでに書類を用意して待ち受けていた。事務的にこの欄に金額を書き入れなさいという。その瞬間、彼女は私の目をみてニヤリと笑った気がした。彼女は言う。「この書類は購入コミッティーに提出する書類で、まだ購入が決まったわけではないのよ」。声は妙に猫なで声だ。続いて「普通はアーティストが美術館に作品を売る場合には半額にするものなの、でもいくらに書くかはあなたの自由なのよ」。私はいきなり、この世界も甘くはないのだということを自覚させられたのだが、今思うとこのおばさんにそんなことを言う権限はない筈だ。私はいじめられただけなのだ。

しかし幸運はさらに続いた。その当時のMoMAは今の超高層ビルになる前の、こぢんまりとした瀟洒なモダニズムの建物だった。バウハウス風の階段を上ると、いきなり「ゲルニカ」が人々を出迎えていた。写真部門の常設展示室は200平方メートル程の小部屋で、写真発明初期の作品から現代までの作品が並べられていた。この常設展の掛け替え時期はおそらく10年ほどで、ちょうどその年が掛け替えの年だった。私の白熊は新規購入作品として、その後長らく展示されることになったのだ。

私はシャカフスキー氏に見出されたのだが、その後も写真発明170周年記念シンポジウムに招かれて講演をしたり、いろいろお世話になることになる。シャカフスキー氏はキュレーターで

大陸横断の旅

あり写真史家でもあるのだが、自身も大判カメラを駆使する写真家でもある。初対面の緊張はすぐに緩み、私にも余裕が生まれたのだろう、その時私はすかさず、グッゲンハイム助成金への推薦状をお願いし、快く引き受けていただいた。この仕込みは必ずや生きてくると私は予感した。私の博打打ちの人生は順調に幕を開けたことになる。

劇場

私には自問自答の癖がある。ある夜更け、一つの問いが浮かんだ。もし映画一本を丸々写真に写したらどうなるか。すると答えは私の脳内に映像として浮かんだ。薄暗い映画館の中で、四角いスクリーンからは、目も眩むような白光が輝き、光の粒子が放散していくのが見えた。私の観念は、時として映像となって現れる。その印象は一夜の微睡《まどろ》みを経て、朝日が差し込んできても失せることはなかった。私はそれが夢ではなかったのだと思った。そこにはある確実なリアリティーが存在した。私はそれを幻視ではなく、来たるべきヴィジョンなのだと思うことにした。私はそのヴィジョンを、この世に、誰の眼にも見えるように、可視化しなければならない。しかしあの暗い映画館の中で本当にそんな像が写し出せるものなのだろうか。そこから私の暗中模索が始まった。

とにかく実験をすることだと思った。しかし写るか写らないか、全くわからないのに、映画館を借り切るわけにもいかないし、そんな金も無い。映画館に説明して撮らせてもらうことも考えたが、説明ができない、したとしても狂人扱いされるのが落ちだ。私はここで再びゲリラ戦法し

U.A. PLAYHOUSE, NEW YORK 1997

かない、と腹を括った。この場合はとにかく一番うらぶれた、場末の映画館が良い。私は当時まだ危ない地域だったイーストビレッジのセントマークスシネマに目を付けた。入場料は1ドル。観客はいつも少なくスタッフはもぎりと映写技師の二人だけのようだ、観客がタバコを吸おうが、ホテル代わりに寝ていようがお構い無しだ。私は白熊を撮影した時と同じカメラを忍ばせる最小限のカメラケースを自作して撮影に備えた。レンズは白熊の時と同じ、それしか持っていないのだ。もちろんその頃は、アシスタントなどを雇う余裕はなく、作業は全て一人だ。私はカメラケースを切符売り場の小さな窓口の真下に見えないように置き、入口をすり抜けた。場末の匂いの立ち込めた劇場内部の一番後ろの隅にカメラを据えた。本当は正面に据えたいのだが、それだと映写室から見えてしまうからだ。露出は全く見当がつかないのでとりあえず絞りは全開のF11・5。いよいよ映画が始まった。映画はB級ホラー映画で、内容もタイトルも全く覚えていない。それどころか、私はスクリーンを両手で隠して、光が劇場内部にどのように反射していくのかに注意を払い続けた。映画を見ているどころではないのだ。映画をまともに見てしまうと私の眼は盲いてしまい、劇場の内部は見えなくなってしまう。私はかろうじて映画を2回撮影し、泥棒のように抜き足差し足でその場を後にした。私は本当に何かを盗んだのだと思った。その晩、すぐに現像をした。これはビギナーズラックなのだろうか。明かりを付けた時、その像は私の想像を超えて、私の想像どおりだったのだ。宗教心の薄い私も、この時ばかりは神様に感謝をした。

今、73歳になって若い頃を振り返ってみると、記憶は曖昧模糊としている。事件が起きていればそれがいつのことだったのか、かなり思い出せる。しかし脳内で夢想した記憶は、それがいつのことだったのかは皆目見当がつかない。ただ漠然とあの頃としか言いようがないのだ。この私の自問自答がいつだったかに、最近になって気づいた。私は当時、かなり詳細にわたって備忘録を書いていたのだ。ほとんどが意識上に昇った幻影のスケッチだったり、知覚体験の抽象的な詩に近いノートなどだ。時々読書の読後感もある。その当時の私は、私の幻覚的意識を自己分析する為に、神秘主義者の言説を片っぱしから読破していた。グノーシス神話、ヘルメス文書、パラケルススをはじめとする錬金術文書、大本教教祖の出口なお資料。出口なおは幕末から明治大正を生きた人で、読み書きができなかったが神の声を聞くようになり、筆を持った手が震えだして神の声を文字に書き始めるのだ。このなぐり書きのような文字はおふでさきと呼ばれる。それらの読書とは別に、私は、私の日本人としての霊性のよってきたる源泉を探る為に、岩波版の日本古典文学大系第1期全66巻を何の脈絡もなく読み始めていた。これは海外にいて日本文化を説明するという、私自身の説明責任を補完する為に自分に課した必須科目だった。その頃の備忘録によほど印象に残ったのだろう、西行の歌論が手書き筆写されていた。ここに転載してみよう。

西行法師歌論

我が歌を詠むは、遥に尋常に異なり。華、郭公、月、雪すべて万物の興にむかひても、凡そあらゆる相、皆是れ虚妄なること眼に遮り耳に満てり。また読み出す所の言句は皆これ真言にあらずや。

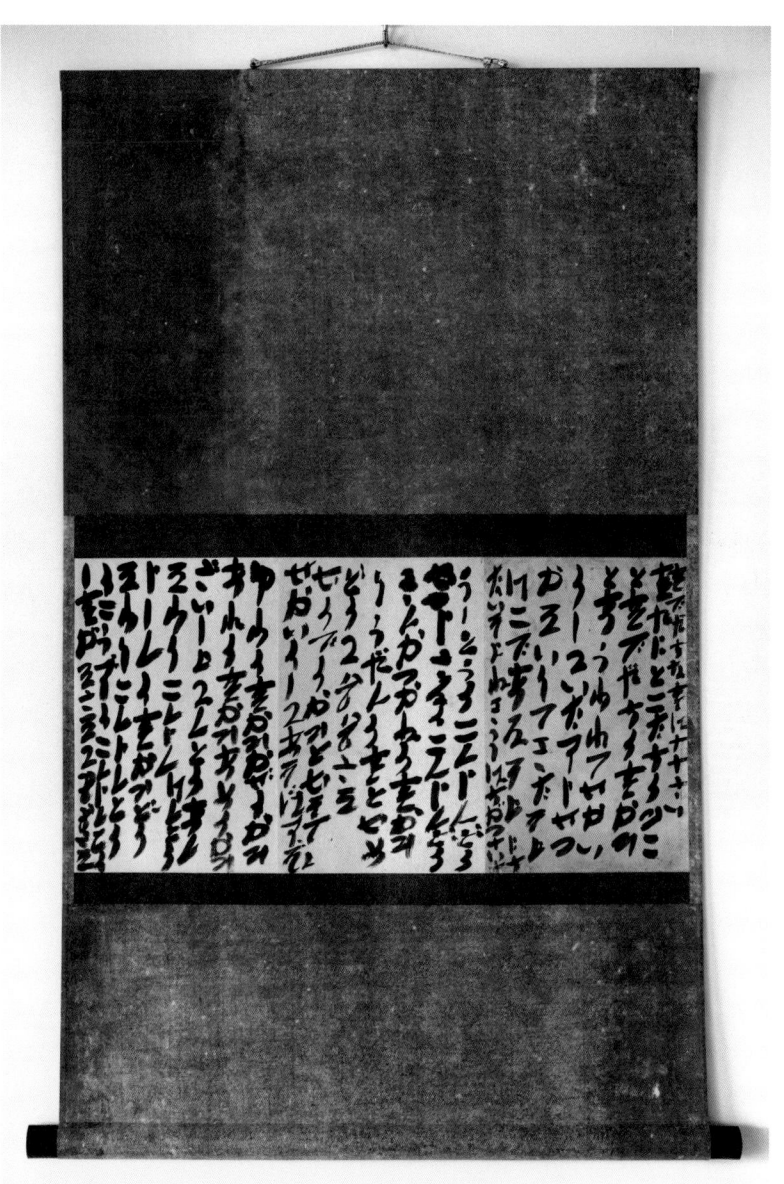

出口なお　おふでさき　小田原文化財団蔵

華を詠むとも実に華とも思ふことなく、月を詠ずれども実に月とも思はず、只此の如くにして、縁に随ひ興に随ひ読みおく処なり。紅虹たなびけば虚空いろどれるに似たり。白日かがやけば虚空明らかなるにも似たり。然れども虚空はもと明らかなるものにあらず、また色どれるにもあらず。我また此の虚空の如くなる心の上において、種々の風情をいろどると雖も更に蹤跡なし。此の歌即に是れ如来の真の形体なり。

されば一首詠み出でては一体の仏像を造る思ひをなし、一句を思ひ続けては秘密の真言を唱ふるに同じ。我れ此の歌によりて法を得ることあり。若しここに至らずして、妄りに此の道を学ばば邪路に入るべしと云々。

私は神秘主義の古典を西洋に訪ねていたのだが、この西行の歌論は私を驚嘆させたのだ。仏教の真髄もまた神秘なのだ。花や月を見てもそれはすべて虚妄で、その虚妄を見て、その中から一体の仏像を刻み出すように歌を詠むというのだ。私は仏教の「空」とは何を指すのかを教えられたように感じた。今思うと、白日かがやけば虚空明らかなる、という部分に、映画館のスクリーンの光の過剰を幻視したのではないのかと思う。西行はそこに如来の真の姿を見、私はといえば、後に仏教彫刻の収集へと深入りしてゆくことになる。この歌論は西行最晩年、高雄に明恵上人を訪ねて語ったとされている。明恵上人も私の心を深く捉えることとなる人物で、のちに私の明恵論「あるべきようわ」を書くことになる。（『現な像』新潮社）

私の備忘録には一休宗純の和歌五首も選ばれて抜き書きされていた。一休はかなりの数の歌を詠んでいるが、その中からベスト5を私なりに選んでいる。

死にはせぬ　どこにも行かぬここに居る　たづねはするなものは言はぬぞ

妙にして　神あるものは心かな　天地にわたりみじんにも入る

有無をのする　生死の海のあま小舟　底ぬけてのち有無もたまらず

仏には　心もならず身もならず　ならぬものこそ仏なりけり

仏性は　不生不滅のものなれど　まよへば生死流転とぞしれ

さすがに頓知の一休、面目躍如たるものがある。私はこうして父親から受け継いだ落語のサゲを継承しつつも、そこに西行的虚無感と一休的頓知を加味して、現代美術のコンセプチュアルアートへと展開していった、といった現在の自己分析としておこう。自伝などというものはすべて後の祭りなのだ。これは評論家諸氏への私のリップサービスだ。

結婚

劇場撮影の成功で自信の付いた私は、本格的にこの作品を系統的に撮り進めることにした。そこからはゲリラではなく正面攻撃に切り替えた。まず映画館を多く持つ配給会社の、ユナイテッド・アーティスツ社に撮影許可を申し入れた。この時、MoMA収蔵作家というブランドは効き目があった。しかし映画には著作権があり、撮影許可は出せないと断られてしまった。私はテスト撮影のプリントを持参して、映画は写すのだが、写らないことをやっと理解してもらえた。私の作品は言葉では説明ができない。いわく言いがたいことを表現するのがアートなのだ。この作品を言葉で説明するとこうなる。映画は写っていたというより映っていた、そして更に「虚ろ」へと移っていった。やはりよくわからない。撮影許可のお礼は作品で差し上げることにしたのだが、全く無名作家の作品は、その後オフィスの壁に画鋲で止められていたのを一度見たきりで、今はどうなっているかは不明だ。

映画館の撮影が軌道に乗り始めたある日、渕崎絹枝が私を訪ねてきた。私の日本の友人からの紹介だった。彼女は1年程前にニューヨークに来て、今は美術大学、アート・スチューデンツ・

妻　絹枝　1976年大陸横断旅行中　鍾乳洞の中で

リーグで絵画を学んでいるという。初デートはソーホー地区の画廊巡りだった。私は現代美術への熱い想いを語った。ディナーはアーティストの溜まり場になっていたユニオンスクエアのマックス・カンザスシティーに行った。そこでは、混沌と自由が同義語となって渦巻いていた。何を食べたかは忘れたが、アンディー・ウォーホルとヴェルヴェット・アンダーグラウンドのメンバー、それと後にローリー・アンダーソンの夫として友人になるルー・リードがいたのを覚えている。ウォーホルのスタジオはこのビルの上階にあった。

私たちは急速に親しくなった。ニューヨークに来たいきさつを聞いてみると、彼女は資生堂宣伝部に勤めて、スタイリストをしていたという。当時の資生堂宣伝部は輝いていた。彼女はモデルのティナ・ラッツとMG5の草刈正雄を担当していた。当時資生堂には名物ディレクターの杉山登志がいたという。しかし数々の賞を取ったあと、突然自死してしまったのだ。これは私が後から調べたのだが、その遺言は壮絶だった。

「リッチでないのに、リッチな世界などわかりません。ハッピーでないのに、ハッピーな世界などえがけません。『夢』がないのに『夢』をうることなど。嘘はついてもバレるものです」

彼女も影響を受けたのか、コマーシャルアートに限界を感じ、絵を描くために会社を辞めニューヨークに来たのだ。当時ウォーホルからミューズと言われたティナ・ラッツも富豪のマイケル・チャウと結婚してティナ・チャウとなり、ニューヨークの高級レストラン、ミスター・チャウを仕切っていた。私は無理をしてイッセイ ミヤケのスーツを買い込み、彼女と一緒に食事にいった。ティナはとても喜んで出迎えてくれた。しかしティナと会えたのはそれが最後だった。

ティナはエイズが騒がれはじめた頃、そのエイズで早世したのだ。
その年はアメリカ建国200年のバイセンテニアルイヤーだった。そしてアメリカの大学の夏休みは長い。私達は2ヶ月かけて、カリフォルニアから来た時と同じキャンピングカーで、大陸横断往復の旅に出た。往路は南側のインディアン居住区を通過した。誰もいない遺跡に野宿し、8×10のカメラを使って、深夜、カンテラの明かりを持って1時間ほど遺跡を長時間露光して、怪しい夜の姿を写す実験もした。カリフォルニア近くまで来たとき、彼女の食欲が異様に高まった。もしやと思いロサンゼルスで医者にいくと、彼女は妊娠していた。そして私達は結婚を決めた。

結婚式は仏式で行うこととした。ニューヨークから北へ2時間半ほどドライブするとキャッツキル・マウンテンという山がある。あのウッドストックコンサートの開かれた場所の近くだ。その山中に大菩薩禅堂金剛寺という立派な寺が完成したばかりだった。住職の嶋野栄道老師は臨済宗の僧侶で、私は初対面のご挨拶として、「白熊」の作品を持参し、「生死の境これいかに」という禅の公案として作品をお見せした。老師はいたく喜ばれ、結婚式の段取りは整った。

式の当日はニューヨークから40人ほどの私の友人たちが泊まり込みで参加した。私は当日、無礼講でよしというお言葉をいただいていた。つまり祝いの酒を出して良いということだ。しかしこの一言が混乱を招くことになってしまったのだ。

寺では30人程のアメリカ人の若者達が修行をしていた。ところが修行というのはドラッグから足を洗う為の修行者がほとんどを占めていたのだ。時代はフラワーチルドレンであふれていた。

ここでその当時の状況を少し説明しておこう。

当時、大人達の既成概念にとらわれた社会秩序に反抗する若者達のカウンターカルチャーは大きな社会のうねりとなっていた。１９６８年のパリ、５月危機と呼ばれたゼネストから始まり、日本での全共闘運動もその流れだ。アメリカではベトナム戦争反対が広がり徴兵拒否をする若者も増えていった。そんな運動にドラッグは深く関わっていた。マリファナは音楽的な感覚を覚醒し広くタバコのように吸われていた。同世代に育ったクリントン元大統領は、マリファナを吸ったことがあるかと問われ、「吸ったことはあるが喉までで止めて肺には入れなかった」と、絶妙な答えをしている。吸っていないと答えれば保守反動と見られ、当時の若者達の敵になってしまう。しかし非合法化されたマリファナを吸ったとも言いがたいのだ。他にはコカインはコカの葉を精製した白い粉で鼻から吸引する。これは非常に高価で、主に医師や弁護士などのハイソ向け、効果のほどは高級ビタミン剤のようでとにかく元気になる。ＬＳＤは幻覚性が強く、前述したメキシコインディアンの呪術師が使うペヨーテに近い。宗教的神秘体験が時には得られることもあった。私の結婚式には友人達が酒とともにこれらのドラッグをも持ち込んでしまったのだ。禁断修行中の若者達も加わって禅寺の不思議なパーティーは深夜まで続いた。翌朝はサンクスギビングデーの朝、キャッツキルには薄雪が積もり、何事もなかったかのように座禅が始まった。

結婚

南画廊

1977年1月、長男の慧《けい》が生まれた。名前は禅宗の開祖達磨《だるま》の弟子、慧可《えか》の慧から取った。真理探求ができるようにとの親の過剰な期待が込められていた。その年、申請中だったアメリカ永住権が認められ、東京のアメリカ大使館で、書類一式を受け取る必要があった。私は5年ぶりに、妻と初孫の顔を両親に見せる為もあって帰国した。

三木富雄は先に帰国していて、私との共同制作作品を、南画廊の志水楠男氏に見せて、展覧会開催を迫っていた。南画廊は当時の現代美術の最先端を走る画廊で、海外からはジャスパー・ジョーンズ、ジム・ダイン、イサム・ノグチ、国内では、中西夏之、菅井汲、山口長男などのスター作家たちの個展を開催していた。三木富雄も扱いの人気作家で、もちろん展覧会を開いてもらえると思い込んでいた。ところが志水さんは、記録だけで売り物のない展覧会はできないと突っぱねたのだ。失意の三木富雄は、私の帰国に合わせて志水さんを訪ねるように約束を取ってくれた。私は白熊のシリーズと映画館の新作を大きなポートフォリオケースに入れて、南画廊に持ち込んだ。私が入って行くと志水さんとリー・ウーファン氏が歓談をしていた。期せずして二人は一緒に私の作品を見ることになった。1作品ずつゆっくりと、志水さんは食い入るように見た。私の説明を聞きながら、志水さんの目の色が上気してくるのを私は感じた。リーさんは劇場の方が作品としては完成度が高いと評価してくれた。19作品を見終わると、志水さんはおもむろに手帳を広げた。いつ展覧会を開こうかというのだ。丁度2週間後にサム・フランシス展の準備が早く終わって2週間の空きがある、カタログも作ろう、というのだ。驚いたのはリー・ウーファンと私だった。

展覧会は1977年5月30日から6月9日までの11日間と決まり、私は翌日カタログ用の序文を書いた。

自分を見つめる客観の目がとぎすまされていくにつれて、主、客、の渾然とした世界が深く口を開き始める。そして世界を支配していた因果律の王国も、崩壊を始める。

そこではダイナミックな運動を売り物にした弁証法も、整然とした規則性をかかげた論理も、武装解除されてしまう。

自分のまわりに網の目のようにはりめぐらされていた意味の世界の一角が、ほころび始めてしまったのだ。

言葉が意味の重荷を少しずつ確実にへらし始めている。それと同時に私自身の輪郭も、それをきわだたせていたものから次第に遠ざかっていく。聞こえてくる音はすべて音楽となって消え去り、存在が輝き始める。

木々はそよぎ、水は流れ、私はある。

なにやら宗教的な神秘体験を匂わせるような青い文章だ。カタログも刷り上がりオープニングはあっという間に来た。評論家の東野《とうの》芳明氏がオープン前日に来てくれて、高い評価をくださり、劇場の1点をお買い上げいただいたのは嬉しかった。その時の価格は12万円。翌日、袈裟を着た僧侶が訪れてきて、白熊の作品を買い上げたという。私は会う機会を逸したのだが、当時私は白熊写真を、禅の公案から触発されたと解説していた。

ある日詩人の高橋睦郎氏が現れ、友人にあなたの作品を見せたいと言う。私はポートフォリオと共に車に乗せられ、金子國義氏のアトリエに連れて行かれた。アトリエ内部は観葉植物に囲まれ、まるでジャングルの中にいるような、怪しい気配に満ちていた。そこでミルク色の強いカクテルを出され、意識は朦朧となっていった。一体あのカクテルには何が入っていたのだろうか。金子氏はハイエナとハゲタカが死肉を漁る作品を購入してくれた。

三木富雄は会場に顔を出すことはなかった。そして8ヶ月後、京都で急死した。その死はジャニス・ジョップリンやジミ・ヘンドリックスのような、不摂生とドラッグによるものだった。享年四十一歳、私は大切な友人を失った。そしてその翌年の79年、今度は志水さんも自ら命を絶ってしまった。これは後から聞いた話だが、志水さんはパリである贋作事件に巻き込まれていたという。私の個展の頃にはすでに画廊経営は傾きかけていたらしい。その時の番頭でのちに画廊を

歓談する東野芳明氏（左）と志水楠男氏（右）

開くことになる佐谷和彦さんに「おやじがなんであなたの展覧会を開くのか、気が知れない」と言われた訳はあとから知ったのだ。

丁度その頃、時を同じくして、すぐ近くに古美術の老舗、瀬津雅陶堂の新社屋が完成し、オープニングとして磯崎新展が開かれていたのを見に行った。雅陶堂の瀬津巖さんと建築家の磯崎新さんとは後々、浅からぬ因縁で結ばれることになるのだが、これも後から気がついたことだ。志水さんと最後にお会いした時、妻が骨董屋をやりたい旨を告げると、それなら日本中の骨董屋を紹介してやると全面協力を約束していただいた。志水さんは元々古美術商志望で、新橋の老舗、平山堂《へいざん》に入社したところ、退社して現代美術画廊、東京画廊を開くべく準備していた山本孝氏に誘われてこの世界に足を踏み入れたという経緯があった。志水さんは商人というよりアーティストに近かった。アーティストと共に作品を作っていたように思う。私の作品をこんなに真剣に見てくれた初めての人で、恩人でもある。しかし恩人も友人もこんなに早く逝ってしまうとは思いもよらないことだった。

古美術開眼

私達の結婚生活は順調ではなかった。子育ては想像以上に大変だった。定収入はないので、フィルムを買うか、絵の具を買うかで諍いが続いた。1年もしないうちに別れ話がどちらからともなく持ち上がった。妻の絹枝は、子育てもあって経済的に自立するためにソーホーに小さな店を開きたいと言い出した。しかし開店資金がない。私は生まれてはじめて私の母に借金を申し込んだ。しかし離婚するから貸してくれとは言えない。夫婦で経営をすることにして借りることになった。

その頃のソーホーは画廊もでき始めて、活気のある若者の街へと変貌しつつあった。店の場所を探して目抜き通りのウェスト・ブロードウェイを歩いていると、一軒のボイラー修理屋で働いているお爺さんに目が止まった。声をかけて、このあたりにお店を開きたいのだが空いている場所はないかと尋ねてみた。すると、うちの2階が空いているという。早速見せてもらうとボイラー修理の部品が散らばっていた。どうやら私は気に入られたようで150坪ほどの倉庫を破格の値段で貸してくれることに即決した。今でこそ高級ブランドの並ぶファッションの街に変貌したが、当時は場末感の漂う街だった。ホフマンボイラーのホフマン爺さんは、その後10年の間とてもよくしてくれた。私は幸運に恵まれたのだ。

内装工事はアーティスト大工仲間と手作りで作り上げた。二間の大床の床柱にはアメリカ開拓時代の古材を使った。この古材はキャッツキルで、朽ち果てくずれ落ちていた古民家から拾ってきたものだ。その古材は移築を繰り返し今でもニューヨークの茶室「今冥途」の床框《とこがまち》として使っている。手斧で削られたその古材は天平古材のような味で、文化庁の調査官がお見えになった際、こんな巨大な天平古材は見たことがないとおっしゃった時、私はにんまりとした。アメリカの開拓時代、200年程前は、日本の開拓時代とも言える天平時代の1200年程前と、技法が似ているのだ。

店は日本の古民芸を扱う「MINGEI」という名前にすることにし、絹枝は3週間ほど、日本への買い付けに向かった。元資生堂スタイリストの経験が功を奏して、明治の車簞笥、室町の信楽や常滑の壺、野良着の刺し子や裂き織り、筒描き、蕎麦猪口、瀬戸の油皿などが並べられ、いよいよ開店の日を迎えた。残金は200ドル、ここで売れなければ来月閉店となる。果たして店を開けてみると、イサム・ノグチさんが古裂の一番良い物をお買い上げになり、初日に在庫の半分は売れてしまった。絹枝はノグチさんのアシスタントをしていた関係で、ご祝儀も兼ねてお買い上げいただいたと思ったのだが、その後も一番の上顧客となってもらった。そして開店1週間後、ニューヨークタイムズ日曜版のアート欄に、全段1ページ写真付きの大きな記事が出てしまったのだ。在庫は瞬く間に無くなった。この嬉しい危機状態にどう対処するか。妻は店番と子育てがある。急遽私が仕入先のリストをもらって買い付けに行くことになったのだ。この時点で離婚はすぐに取りやめになった。嫌いになったわけではないのだ。私たちは商売でも絶妙なパートナーであることを発見したのだ。

ど素人の私はなんとか買い付けを終えて帰って来た。これは偶然なのだが、丁度その頃ニューヨークのジャパン・ソサエティーで文化庁主催の「ＭＩＮＧＥＩ」という展覧会があった。そこには円空仏や古信楽の名品、室町末期の奈良絵や江戸期の大津絵などが並んでいた。私は愕然とした。私の買ったものと、ここに並ぶ美術館レベルの物との乖離に。私は悔しい思いを胸に秘め、次の買い付けには絶対にこのレベルの物を買うのだと心に誓った。私は進むべき道を示されたような気がした。それまで殆ど帰国する必要もなかった私は、それ以来年に4回、当時はまだ国鉄の、外国人向け国鉄乗り放題パスを買って、日本中の社寺仏閣をしらみつぶしに巡り、日本の歴史を咀嚼しながら名品を探し歩いた。毎月21日の京都、東寺の朝市には朝の4時に懐中電灯をもっていく。業者同士、荷を開けた時が勝負時なのだ。こうして仲良くなった業者とは、その地元の福井や富山、岐阜へと掘り出しを求めて案内してもらうことになるのだ。私は柳田国男や折口信夫の民俗学の世界を旅するような気分だった。アメリカで読んだ日本を、今度は現地踏破することになる。

この降って湧いたような職業は、私の人生上の感性と知性と歴史認識に多大な影響を及ぼすことになった。開店から3年後、私は鎌倉時代の聖徳太子二歳像を、プリンストン大学美術館に納めることができた。2歳の童子の顔が、叡智を湛えた高貴な尊顔として表現されている。13世紀

聖徳太子二歳像

にこれほどのリアリズムが表現されている、いやリアリズムの上に宗教的神秘が体現されていると思うのだ。ヨーロッパ中世の彫刻と比べてみても、相当の高みに当時の日本はあったのだと、私の日本贔屓は嵩じていった。5年目になると今度はメトロポリタン美術館へ、平安時代の装飾法華経を納めることができた。金箔銀箔が細く切られちりばめられた雅この上ない料紙に楷書の素晴らしい字体が連なってゆく。この頃、私は昼は接客の合間に古美術研究に没頭した。私の掘り出してくる古美術には得体の知れないものが多かった。その像が仏像であるのか神像であるのか見分けがつかない。絵巻の断簡だがストーリーがつかめない。私は古美術を1点買うと、数十冊の本を買うことになり、私のスタジオ兼ギャラリーは瞬く間に古美術関連書物に埋め尽くされていった。

夜は気持ちを切り替えて写真家として暗室作業に没頭した。私は好奇心に燃える疲れを知らない若者だった。私はこの古美術商という職を通して多くの顧客を得た。ノグチさんを始めとする多くのアーティスト達がやって来た。私を感化したドナルド・ジャッドとも親しくなり、ジャッドの興味は室町期の根来に特化していった。その端正でミニマルな形と色は、明らかにジャッド作品に通じるものがあるのだ。対照的にダン・フレビンは江戸初期の民窯の焼き物を好んで買った。ルイス・ニベルソンはボロの箪笥を買い、バラして作品にすると言う。サイ・トゥオンブリーは白隠の円相の禅画に魅入られた。私はアーティストたちの趣味と好みを見計らって、その一人のために品定めをするようになっていった。私は正統な日本美術史を学んでいなかった。それがかえって良かったように思う。私の眼は美術史という色眼鏡をかけられる前に、処女の眼として、物そのものと対面することができたのだ。
私は自分の眼に自信を持てるようになっていった。

海景

1980年、賞金稼ぎの努力が実ってグッゲンハイム財団助成金がもらえることになった。当時の金で1万5千ドルは大きい。1年間充分に食べられる金額だ。財団の事務所で理事長から小切手を渡された時、私に言われた言葉は印象に残った。「この金はあなたを1年間、生活から自由にするための資金です。作品制作に専念してください。しかしすぐに結果を出す必要はありません。また1年後の作品提出の義務もありません。私たちはあなたの才能が将来花開くことに期待をしているのです」。アメリカという国の懐の深さを感じると共に、大きな責任をも感じた。私はこの助成金で中古のステーションワゴンを買い、カメラ機材と現像道具一式を乗せて、アメリカ中西部の劇場を一人で巡った。現像は夜、安ホテルの浴室でする。皿現像と呼ばれる手法で、19世紀の風景写真家が幌馬車の中の暗室で現像したのとほぼ同じやり方だ。私は最高のネガが出来るまで一つ一つの映画館を何回も撮り続けた。

どこの街にどんな古い映画館があるのかを調べる為に、私は「歴史的劇場協会」の会員になった。この団体のメンバーは殆どが引退した老人達で、戦前の華やかなりし頃の映画文化を懐かし

華厳滝図　1977

む為の小さなクラブだった。事務所はシカゴ郊外のうらぶれた一軒家で、そこには１９２０年代から30年代にかけて建設された、いわゆる「ムービーパレス」と言われる豪華絢爛な劇場建築資料や図面が山積みにされていた。まだパソコンもなくネットもない時代、私はここに入り浸って獲物を漁った。不思議なことにニューヨークやシカゴなどの大都会には名建築は殆ど残っていないのだ。地価が高く建築も新陳代謝していくのだ。対照的に昔栄えて今は寂れた中西部のオハイオ州からインディアナ州に続く「錆びたベルト地帯」には多くの劇場が残されていた。その昔、鉄鋼業などで栄えた街々。その中心部は今スラム化して、建物を壊す理由もないし、壊す金もないからだ。奇跡的に残った名劇場を撮影すると、あとは足に頼る行き当たりばったり方式となった。私は街から街へとポンコツ車でさすらい、安宿に泊まりながら、地方新聞の映画欄をしらみ潰しに潰していった。安宿を見つけると、まず風呂場を見せてもらう。怪訝な顔をされるが重要なのだ。風呂場に窓があると暗室にならないからだ。多くの宮殿映画館《ムービーパレス》は寂れて朽ち果てていた。私は平家物語の冒頭を思い出していた。「おごれる人も久しからず、ただ春の夜の夢のごとし」。

　この年、私は後に私の代表作となる「海景」の撮影も始めた。しかし海景に行き着くには前段階があった。１９７７年、久しぶりに帰国した時、私は日本の滝を巡っていた。私は「水」を撮りたかった、それも日本の水を。私はまず華厳の滝を拝観することにした。その日は霧雨が降っていて瀑布の轟音が響き渡るだけで、その姿は見えなかった。私は木製暗箱カメラをその轟音に向けた。すると一瞬、霧と霧の間があり、滝が見えた。それは数秒のことで、私はシャッターを急いで切った。それは私にとってご神体が顕現したとしか思えない神秘的な一瞬だった。そのまま待ちつづけて闇が迫り、その日は二度と滝の姿を見ることはなかった。

次の日はさらに奥日光の山中深く分け入り、幾つかの滝を巡りながら野宿をした。私は真夜中、一人で息を凝らしながら、深い森の霊気を感じ、獣の気配を嗅ぎ、草木の眠る寝息を聞いた。木々の梢の合間からは満天の星が煌めいていた。私はその立ち込める霊気に圧倒されて一睡もせず、夜明けの気配と共に虫たちが小声で語りだし、鳥たちがさえずり始めるのを聞いていた。私は、人が森の中で生きていた頃の記憶が、私の血の中で蘇ってくるのを感じたのだ。朝、細い無数の光が差し込み、私は朝露の中にいた。そしてその水が雫の一滴となって落ちていくのを見ながら、その一滴の行く末を思った。その時突然、海が私の脳裏に浮かんだのだ。雲ひとつない空、鋭い水平線、穏やかな波。私の思考は続いた、私が感じるこの古代の感覚はどこからやってくるのだろう。はたして古代人が見ていた風景を、現代人も見ることは可能なのだろうかと。そして気がついたのだ、それは海に違いないと。

私は日光を後にして那智へと向かった。那智滝に参拝したあと、意を決して滝の水が落ちる滝口まで登っていった。実はニューヨークのジャパン・ソサエティーで開かれた「神道の美術」展の為に映画が作られ、その監督のピーター・グリリとは友人で、滝口への登り方を教えてもらっていたのだ。そして、そこにも森閑とした古代の森が広がっていた。森は恐ろしいほどの霊気に満ちていた。私は渓流を遡って二の滝まで辿っていった。喉の渇きを覚えた私は流れる水を掬って飲んだ。甘露の味がした。そのとき、私のからだに得も言われぬ何ものかが沁みわたった感じがした。滝口まで引き返すと遥かに熊野灘が見えてきた。海が私を誘っていた。

私の血は、何百世代、何千世代前の先祖の血と繫がっている筈だ。その先祖が見ていた海は、今私が見ている海と、おそらく大きくは変わっていないのではないのかと私は思う。地上はどうだろう、人は文明を起こし、森を切り、田畑を作り、そして都市までも作り上げてしまった。古代人の見た風景の痕跡はそこには無い。人にはなぜ意識が芽生えたのだろう、心はどこから生まれてきたのだろう、私は長い間考えあぐねてきた。私は地上に最初に現れた人間に自分を擬えてみた。私は混沌の闇から意識の立ち上る瞬間を夢見た。私は海を眺めていた、そしてはっと我に返り、自分を意識した。そこに私はいた。私は世界中の海を巡り、その「場」を撮影してみようと思った。私は先祖の魂に憑依したいと思ったのだ。こうして日本の「水」は世界の海へと遡って行った。

CARIBBEAN SEA, JAMAICA 1980

イリアナ・ソナベント

作品の制作は順調に進み、次はどの画廊に扱ってもらうかが、作家デビューとしては最重要課題となった。南画廊で個展を開いたとはいえ、ニューヨークでは無名の新人だ。私は戦略を立てた。これは人生の戦略でもある。下から這い上がっていくのには時間がかかる、いっそ上から降りていこう。

当時のニューヨークの老舗画廊はシドニー・ジャニスだった。取り扱い作家は、ピカソ、マティス、モンドリアン、ロスコ等々、大御所すぎて私向きではない。現代美術の最先端を見せる画廊としては、カステリ画廊とソナベント画廊がいちばん尖っていた。私はまずイリアナ・ソナベントに作品を見せにいった。反応は上々で気に入ってくれたのだが、展覧会の約束まではしてくれなかった。私は南画廊で作品を買っていただいた評論家の東野芳明氏が、レオ・カステリと親しかったことを思い出し、東野さんの紹介でレオ・カステリに電話をしてみた。すると喜んで会ってくれるという。私は勇んでまたポートフォリオを持ち込んだ。エレベーターを降りるとエルズワース・ケリーが一人で展覧会を設営していて、私を事務所へと案内してくれた。レオ・カステリも非常に興味を持ってくれ、この作品は上の階に見せようというのだ。上の階はソナベント画廊だった。実は二人はもと夫婦で、今でも仲が良く、同じビルの中で連携をしていたのだ。このビルは420ウェストブロードウェイにあり、倉庫街だったソーホー地区は、このビルに4軒の画廊が入り、企画展を始めたことがきっかけとなって開発が進み、今では高級ファッション街になってしまった。私達は裏の階段を登り、今度はレオが正式に私をイリアナに紹介した。するとイリアナはにやりと笑い、杉本はとっくに知っているし、うちで個展をする事になっているのよとまた笑った。

私は人生の階段を上から徐々に降りていこうと思ったのだが、降りていく必要はなくなったのだ。私は最上階で足止めを食らった。初めての個展は1981年の正月だった。劇場のシリーズで、1点1200ドル、数点売れても生活の足し程度だった。嬉しかったのは同じ画廊に所属するロバート・ラウシェンバーグが作品を買ってくれたことだ。ジオラマの作品を気に入って、ハゲタカの作品を選んでもらった。イリアナは画商というよりもコレクターに近かった。まだ無名の作家達のデビュー展を多数開いている。無名時代のジャスパー・ジョーンズのアトリエに行った時、星条旗の絵が気に入ったので250ドルで買った話を聞いたことがある。晩年にMoMAに寄贈した時には、評価額は数十億ドルに跳ね上がっていた。1988年にソナベントコレクション展がヨーロッパを巡回した時、私は買って出て、その展覧会を日本にも紹介することにした。当時勢いのあったセゾン美術館でお披露目をした。マリオ・メルツ、ブルース・ナウマン、アンゼルム・キーファー、サイ・トゥオンブリー、クリスチャン・ボルタンスキー、カタログ編集をしてみると収集は50年代から60年代にかけて、殆どが作家の初期作品だ。イリアナは目利きなのだ。若い私も錚々たる作家達が名を連ねるコレクションの末席に加えてもらい、感慨もひとしおだった。

今振り返ると、ソナベントでデビューした作家達の多くは有力画廊を転々としていった。私はといえば、この世界で私を産んでくれたお母さんという気持ちで、イリアナが亡くなるまでの30年間、他の画廊からの勧誘や引き抜きを全て断り続け、その恩に報いた。亡くなってみるとそんな作家は私だけだった。その頃、賞金稼ぎの最終章があった。アメリカ政府が給付する、ナショナル・エンドーメント・フォー・ジ・アーツが貰える事になったのだ。もうこれ以上、上は無い。ここで私は賞金稼ぎを引退する事になった。

1984年夏、長女聡子が生まれた。三島由紀夫の小説『春の雪』の主人公、綾倉聡子からお借りした。古美術商も現代美術の制作も順調にすべり出したので、私は会社を設立した。定款には業態として、現代美術の製造販売、及び古美術の販売とした。社名は「Door Four」。その謂れは、永住権の申請の為にダウンタウンの移民局事務所に行った時のことだ。長い間待たされてついに順番が来た。その時、受付の恰幅の良い女性に、どあほー、と大声で怒鳴られたのだが、気が付くとDoor Four、4番扉に行けという意味だった。瞬間ムカッとしたが、このおばちゃんが大阪弁を話すはずがない。この印象を社名にしたのだが、これは落語家の父親の遺伝だ。

1985年、妻絹枝が体調を崩した。直腸に癌が見つかったのだ。静養も兼ねて、空気の良いコネティカット州のグリニッチという町に、チューダー様式の小さな家を買い、引っ越した。

イリアナ・ソナベント　2003　筆者撮影

しかし1987年のクリスマスの日、妻は帰らぬ人となった。3歳年上だった絹枝は彼女の友人達に、「この人は将来きっと成功する、私がそうさせる」と言っていた。糟糠の妻というのだろうか。苦楽を共にしたが、苦の方が多かったように思う。生涯に売れた絵は1点。社会学者の見田宗介さんに望まれてだった。

佐賀町エキジビット・スペース

1988年、小池一子さんから、東京で展覧会を開かないかという打診があった。小池さんは昭和2年にできた廻米問屋市場を改装して、現代美術のオルターナティブ・スペースを運営していた。元々米の競り場だったこの空間は、天井高5メートルの大きな空間で、なかば廃墟化したような建物は風情があり、夕暮れ時には中庭をコウモリが飛び交っていた。私はここで展覧会をすることを承諾し、しばらく東京に滞在することになった。小池さんは広告界では名物ディレクターで、女の仕事場という意味で女性スタッフだけの会社「キチン」を作っていた。私の展覧会担当と滞在中の世話係として、小池さんが私に付けたのが、小柳敦子だった。展覧会は好評のうちに終わったのだが、小柳敦子の世話係はそのまま継続し、今に続く公私共のパートナーとなってしまった。まさか一生世話をされるとは思ってもみなかった。小柳はその後銀座1丁目に画廊を開き、私はスペースを設計し、作品を作り、彼女が売る、というパパママストア形式が確立した。

この展覧会は高い評価を受け、第30回毎日芸術賞を受けることになった。私は歴代最年少の受

小池一子さんと筆者　1988

賞者となった。私の初めての作品集も好評だった。モノクローム3色刷りで我が国初の300線という微細な版を使ってみたのだ。ところが思わぬ影響もあった。広告代理店の博報堂から、私の「劇場」の写真を広告に使わせて欲しいという申し出があった。浅利慶太演出の劇団四季ミュージカル「夢から醒めた夢」初演の為の新聞全段広告だという。私は丁重にその申し入れを辞退した。一度決別した広告とは関わらないという信条を説明した。しかしディレクターは、すでに全国紙5紙を押さえてしまっているし、クライアントの合意も得ていると言う。話し合いが途絶えてしばらくして、私は肝を冷やした。私の作品らしきものが新聞紙上に大きく捏造されていたのだ。どうやら困ったディレクターは古い劇場の貸しポジを探し出し、カラーをモノクロームに焼き直し、スクリーンをエアーブラシで加工して白く抜き、見事に杉本風に仕立て上げたのだ。この広告と毎日芸術賞受賞者発表が偶然に重なり、毎日新聞が、これを事件として大きく取り上げることになる。見出しは私を辟易させた。そこには大きく「杉本博司怒りのシャッター」とあった。小池一子さんは緊急対策会議を招請してくれた。場所はホテル西洋 銀座のバー。集まったのは堤清二氏、三宅一生氏、それと小池さん、小柳、そして私だった。小池さんには多くの盟友がいた。訴訟も検討されたが、勝ったとしても日本の広告業界の著作権意識などが改善されることはあり得ない。努力しても得るものが何もない、という結論に達した。この件は未解決であり、係争中であるという覚書を取り交わして休戦となり、今に至っている。

翌年の正月には贈呈式が行われ、私の他には一柳慧、吉村順三、吉田簑助、渥美清、絹谷幸二の各氏がいた。一柳さんとは三木富雄と志水楠男さんの思い出を懐かしく語った。簑助さんには

23年後に杉本文楽の主役を務めていただくことになる。吉村さんは、後年、私が建築の世界で仕事をする時に、大きな影響を受けることになる。因縁は巡っている。

1991年、佐賀町での2度目の展覧会が開かれた。今回は新作の海景シリーズが展示され、佐賀町会場と近隣のIBM本社中庭に面した水庭の壁に、防水アクリルケースに封じ込めた「海景」を展示した。毎日直射日光と風雨に晒される。私は写真が自然光に晒されて劣化し消えてゆく過程を見たいと思ったのだ。しかし万物流転の姿を見てみたいという私の願いが叶うことはなかった。4ヶ月の展示の後、作品はさらなる晒しの場として、ベネッセアートサイト直島の安藤建築の壁に掛けられた。外気に晒され続けて30年が経った現在、未だに劣化の兆候は微塵も見られない。これは私の現像処理が完璧であることを示すもので、私は内心がっかりしている。

この「海景」の展覧会を記念して、京都書院から豪華本が出版された。選ばれた50点の「海景」が印刷され、一枚一枚手で台紙ばりされて、アルミのケースに収まっている。定価4万円は私を不安にさせた。しかし又しても私の完璧主義が私を裏切ることになる。精巧すぎるオフセット印刷が、人々にはオリジナルプリントに見えてしまうのだ。現在のオークションでの価格は300万円程に高騰してしまった。高すぎて売れないだろうという私の予感は見事に踏みにじられたのだ。

丁度この頃に思い立った作品があった。京都三十三間堂の千体仏を撮影してみたいと思ったの

毎日芸術賞贈呈式　左から、渥美清氏、毎日新聞社社長渡辺襄氏、筆者

だ。その頃の私は仏像の収集に熱意を燃やしていた。私はこの藤原期から鎌倉期の仏像群の一体でもいいから欲しいと思ったのだ。私は仏様に恋をしたのだ。しかし指定文化財の仏像が買える筈もない。それでは盗るか、私は盗る代わりに撮ることを思いついた。早朝の日の出前、私は三十三間堂東門の格子の隙間から御堂に朝日が差し込む様子を確認した。そして仏像群の前にある障子に朝日が当たるのを見て、その内部では、金箔に覆われた千体の仏像が煌めいているであろうことを想像したのだ。私は早速京都書院の担当者に撮影許可を打診してもらった。答えはけんもほろろ、門前払いといった様子だった。私はその時京都の歴史を感じた。三十三間堂は妙法院の御堂で、妙法院は門跡寺院と呼ばれる最高の格式を誇るお寺なのだ。寺院の漆喰の塀には5本の横筋が入っているのがその格式を表している。門跡とは天皇家の血を引く僧を指す。天皇家筋へのお願い事は私のような地下人《じげびと》が直接お尋ねするなど言語道断なのだと推察したのだ。地下人とは官位を持たない一般人のことだ。

それから4年後、私の人生に大きなターニングポイントが訪れた。ニューヨーク、メトロポリタン美術館から個展を依頼されたのだ。私はこの機会に是非とも千体仏を作品化して展示したいと思った。開催予定の1年前に、私は次の手を打った。メトロポリタン美術館のフィリップ・デ・モンテベロ館長にお願いして、妙法院門跡宛に手紙を書いていただき、正式に美術館からの撮影許可をお願いしたのだ。もちろん私は丁寧な和訳を添えた。しかし答えは又しても否だった。私は妙法院に出向いて直接口頭でお返事をいただいた。その文言は今でもはっきりと耳に残っている。「外人はんにはおこしいただいてます、こちらから出かけていくつもりはありまへん」。私はそのごもっともなお答えに尊崇の念すら抱いた。

しかし私は諦めきれない。次の策を練った。三十三間堂は毎年三十数体の観音像を文化庁の支援を受けて修理している。私は古美術研究を通じて面識のあった文化庁文化財保護部文化財監査官、渡邊明義氏を文化庁に訪ねご相談した。渡邊氏は写真に造詣が深く、私の仕事にも高い評価をいただいていた。渡邊氏はそれではと言って、妙法院門跡宛に丁寧な推薦状を面前ですらすらと書いてくださった。

そして又してもお答えをいただきに妙法院に出向いた結果ようやく許可していただけることになった。そして次に執事のお坊さんが紹介された。撮影料のお話だ。そのお坊さんのお言葉も覚えている。「撮影料いうても決まりはありまへん。仏様へのお布施です。まあ一体1万円としますと、千体で1千万になりますなあ、しかし千体で仏様一体ともいえますすな」。これは禅問答だ。私は咄嗟に「ポーラ美術振興財団からの支援金が150万いただけますので、全額をお布施とさせていただきます」とお願いした。こうして真夏の7月の10日間、早朝5時からの2時間の撮影は許された。そして奇跡的に毎日が晴天に恵まれ、私が夢想した通り、障子に和らげられた光は千体仏の金箔を燦然と輝かせたのだ。私は確実にその時、極楽浄土にいるように感じた。

メトロポリタン美術館での杉本博司展は、写真部チーフ・キュレーターの、マリア・ハンブルグが企画した。実は彼女は19年前、MoMAのアシスタント・キュレーターとして、私の作品を最初に見て、シャカフスキー氏に購入を勧めた張本人だったのだ。私は彼女によって発見されたと言える程で、彼女は私のマリア様だ。展示作業は難航した。METは殆どが物故作家の展覧会で、スタッフは生きている作家の展覧会をしたことがないという。壁の色、照明に私が意見を言うと、死人が口をきくように驚かれた。特に照明係は、ここは俺の職分だと言って譲らない。私は日曜日に現場に忍び込み、黙って全てを変えてしまったが、誰も気づかなかった。

この展覧会を皮切りに私の作品は売れるようになった。私は古美術商をやめるべきか悩んだ。皮肉なことに、この美術館がお得意様だったのだ。部門は違うとはいえ私は名品を納めていた。平安期の密教法具三鈷杵、特に浄瑠璃寺にある藤原期の九体阿弥陀本尊の光背にあった飛天の化仏は、まるで無重力に浮くように優雅な姿で、今でも展示される機会も多い。この飛天をニューヨークで入手した時、私は急いで帰国し、浄瑠璃寺を訪ねた。その光背には明らかに江戸時代作の飛天が7体と藤原期当初の飛天が4体あった。私は私の飛天が藤原期の作行きと同じ仏師によるものであることを認め、その飛天が光背の左下から3番目に位置していたことを目視確認した。おそらく江戸期の修理後に民間に流出し、明治になってベルリンまで飛天として飛び去ったのだろう。この化仏は近年ベルリンで発見されニューヨークに渡っていたのだ。

私は古美術商をきっぱりとやめて作家活動に専念することにした。とは言え、売るのをやめただけでその後も買い続け、気が付いたら私はコレクターになっていた。人の為に古美術品を買うのは比較的易しいことだ、その人の好みを知れば良い。しかし自分の為に買うとなると難しい。私が自身の審美眼を磨くことは、直ちに自分の作品の質に影響を及ぼすからだ。よもやおろそかには出来ないのだ。

9・11

1999年、私はロンドンにいて蠟人形の撮影をしていた。剝製の白熊が生きているように撮れるのなら、蠟人形も生きているように撮れるだろうと踏んだのだ。マダム・タッソー蠟人形館での撮影は、閉館後の夜8時から翌朝の6時まで、1週間続いた。ロンドン在住のガーデニング研究家、吉谷桂子さんが毎晩おにぎりを作ってくれた。

マダム・タッソーは数奇な運命を辿った人だ。18世紀末にフランス、ルイ16世の宮廷に蠟人形師として仕え、ヴォルテールやベンジャミン・フランクリンといった有名人の顔に、プラスターを流して型取りをし、本当に生き写しの蠟人形を作ったのだ。革命期にはナポレオンも型取りしている。惜しいことにナポレオンの写真は存在しない、写真の発明される数十年前の話だ。革命期に写真の役割を果たしたのが蠟人形だった。

フランス革命は皮肉に満ちている。ルイ16世は啓蒙的な君主だった。父親のルイ15世は啓蒙主義の元祖であるヴォルテールを宮廷付き学者として一時期雇っているのだ。が、その自由平等の思想がアメリカ独立運動の理念として喧伝され、アメリカは独立を果たすことになる。その革命

WORLD TRADE CENTER 1997

を経済的にも軍事的にも支援したのがルイ16世だったのだ。理由は単純だ。犬猿の仲だったイギリスへの嫌がらせなのだ。ところが自由平等に博愛も加わって、この思想は本家のフランスに飛び火して、フランス革命は勃発することになる。アメリカ建国に重要な役割を果たしたベンジャミン・フランクリンはフランスへの初代アメリカ大使として赴任し、ルイ16世に謁見している。タッソーは革命が始まると王党派として幽閉され、いつギロチンの刃に消えるかも知れなかった。しかし彼女の技術が彼女を死の淵から救い出す。タッソーはギロチンから切り落とされた生首を与えられ、その蠟人形を作るという仕事を課せられたのだ。そしてそれらの型のいくつかは今でも現存しているのだ。(「時間よ止まれ」、『現な像』 新潮社)

私は蠟人形館の中に特設スタジオを設え、次々に著名人達を呼び出した。「ダイアナ様、はい次、オスカー・ワイルド様、はい次、チャーチル様」。広大な深夜の蠟人形館は静まり返りながらも、大パーティーが進行しているように思えた。私は宴たけなわのなか、一人一人にお願いしてスタジオにお越しいただいた。皆様いやな顔一つせず、20分ほど身じろぎもせずポーズを取っていただいた。私は撮影をしながら、降霊術を施しているような、不思議な気分になっていった。完成した作品は2000年、磯崎新氏の設計により新たに開館したグッゲンハイム美術館ソーホーにて大個展が開かれることになる。

2001年、私は能「屋島」をプロデュースすることになった。この時から私は演劇に深入りする羽目になるのだが、経緯はこうだ。私は長谷川等伯の国宝「松林図」に不遜にも対抗心を燃やし、写真で松林図を撮ることができないかと自問した。そのために等伯が描いたとされる能登の松林を見に行き、三保松原、松島、天橋立も実見して可能性を探った。そして私が辿り着いた場は皇居前の松林だった。これほど手入れの行き届いた松林は他にない。私は宮内庁から許可をいただき、早朝の撮影に臨んだ。宮内庁の腕章を付けると、どこからともなく何事かが降りてきて、その何事かが撮れるような気がしてきた。私はその景色を12面、六曲一双の屏風仕立ての作品にすることに成功した。この作品は、ピーター・ズントーの設計になるオーストリアのブレゲンツ美術館でお披露目となったのだが、作品の出来に気を良くした私は、この松林図を能舞台の鏡板に見立てたいと思ったのだ。スイスの木材会社は、私の描いた能舞台の図面を実現してくれることになった。するとせっかく舞台を作るのだから、能の公演をしようということになった。こんないい加減な成り行きでいいのだろうか、と思いつつ、狂言方の善竹十郎さんが実質的な団長となって、海外遠征公演が仕込まれたのだ。考えてみると、能は死者の魂の復活劇だ。私の蠟人形の魂の復活と何か通じるものがあると、私は屁理屈を考えた。この公演はブレゲンツのあとニューヨークのDIAアートセンターにも廻ることになっていた。出発の準備が整った頃、あの事件が勃発した。9・11のワールド・トレードセンターの崩壊だった。

私はあの朝、ニューヨークにいて、スタジオの屋上から、タワーが崩壊していくのを見ていた。あんなに空が晴れ渡り、透き通るように青い日は無かった。二つの塔は、ひとつずつ、ゆっくりと、静かに、崩れていった。ニューヨークはパニックに陥り、ブロードウェイなどの歌舞音曲は一切自粛となった。能「屋島」の公演予定は10月に迫っている。私はこの公演を中止すべきか迷いに迷った。能「屋島」は勝修羅と呼ばれる特殊な能だ。普通の修羅能は敗者の魂に無念の情が残り成仏できないのだが、この「屋島」では勝った義経が亡霊となって登場する。戦場においては勝者も敗者も魂は救われず、成仏は出来ないというメッセージなのだ。私はあえて公演を決行することにした。スーザン・ソンタグがアニー・リーボヴィッツと見に来てくれた。スーザンは暗い顔をしていた。我々にも攻撃される理由がある筈だ、と発言して、メディアから総攻撃を受けていたのだ。アメリカは日本軍による真珠湾攻撃直後と全く同じ興奮状態に陥っていた。復讐の炎がアメリカ全土を覆っていった。

スタジオを自作

20世紀の終わりが近づいた1999年。私は10年間住んだ東64丁目からチェルシー地区に引っ越すことにした。それまで高級住宅街のアッパーイーストサイド、タウンハウスの3フロアーを借りていた。1階は暗室、3階は古美術及び自作のギャラリー、4階が住居だった。美術館レベルの古美術品を商う為にはどうしても高級住宅街に居を構える必要があったのだが、古美術商はやめて作家活動に専念することを決めた私に、高級住宅街は不必要かつ似合わなくなったのだ。その頃、画廊が出来始め、アーティストが住み始めた猥雑な倉庫地区、チェルシーに移ることに決めた。その頃のチェルシーは、夕闇時ともなれば、波止場に着く水夫やトラックドライバー達を目当てに角々に娼婦が立つ街だった。その街は北のさらに猥雑なヘルズキッチンと呼ばれる街に連なっていた。今ではこの辺りはすっかり再開発されて小室夫妻も住むお洒落な街に変貌したのだが、当時はすさんでいた。私は西26番街に1000平米もの床面積を持つ倉庫を借りることにした。元々は製本工場でエンパイア・ステートビルと同じ年に竣工した、築69年の工場跡だった。1年間私は工事に没頭した。電気、水道工事はプロを雇うが、木工工事は全て自分たちスタ

改修前のスタジオ

ッフで行うことにした。今までは全紙判というサイズのプリントしか作らなかったのだが、今回は1・2×1・5メートルもの大判のプリントが作れるように周到に計画を立てた。最高に気持ち良く、効率良く、失敗のない道具を設計するのだ。そんな道具は売っていないので、自作するしか方法はない。その上、その道具の姿形は美しくなければならない、という掟も自身に課した。これは後に建築家として家具設計をするための経験値となった。まずは各種電動工作機械一式を据え付け、万力付きの頑強作業台を設置し、作業は始まった。来る日も来る日も汗水垂らして働き、21世紀が明ける頃、ようやく新スタジオは完成した。

このスタジオで、ジオラマ、映画館、海景の初期3部作をはじめとした各種大判作品が制作できるようになったことと呼応するように、各地の美術館から展覧会開催要望が届くようになっていった。読みが当たったというのだろうか。まずはベルリンに新設されたドイツ・グッゲンハイム美術館での個展が開催された。

この美術館はドイツ銀行が出資し、グッゲンハイム美術館がプログラムをつくるという美術館の新しい形で、銀行が現代美術のコレクションを持ち、その資産価値を認めるという、新時代の到来を告げるものだった。私は蠟人形のシリーズを出品することにし、出品作の制作費は全て出してもらえるという、コミッションワークという条件だった。オープニングセレモニーは豪華絢爛を極めた。ヘンリー8世と6人の妻、7種のポスターが制作され、地下鉄駅には王と王妃の顔と共にSUGIMOTOのバナーの波がたなびき、街のいたるところにポスターが貼られた。セレモニーの趣向は、展覧会場内部に16世紀チューダー朝のヘンリー8世の宮廷晩餐会を再現する、というものだ。巨大なテーブルには無数の燭台と共に花が盛られた。圧巻は時代衣装に身を包んだウェイター達が見事な雉の丸焼きを、宴席にこれ見よがしに運び込む儀式だった。私は銀行という権力に身を売り渡してしまったかのような罪の意識を感じたが、反面心地よさも味わった。

スタジオを自作

この展覧会はスペイン、ビルバオに開館したビルバオ・グッゲンハイムへと巡回していった。この美術館はスペイン北部の寂れた工業都市を一躍有名にした。フランク・ゲーリーの珍奇な建築が世界中の耳目を集めたのだ。とはいえ私にとっては悪夢の建築だった。展示室の壁は曲線にうねっていた。壁にはまともに作品を掛けられない。建築家の自己顕示欲は、アートなど邪魔だと言わんばかりに、俺の建築こそがアートなのだと威張りくさっていた。おまけに展覧会設置期間中、美術館の前庭で爆弾が炸裂した。バスク独立派の仕掛けたものだった。この美術館は地方都市の売名行為としては大成功したが、美術館空間としては失敗していた。これは後に私自身が建築家として美術館を設計する際に、反面教師となった。

２００１年にはスウェーデンのイェーテボリ美術館で個展が開かれた。写真界のノーベル賞と言われるハッセルブラッド賞受賞記念展として開催された。賞金は１００万クローネ、当時の日本円で１５００万円は大きい。授与式は立派な劇場で行われ、リリアン王女からメダルを授与された。私はスピーチで、「賞金をありがとう、しかし新作のために、いただく筈の金はすでに使ってしまった」と、笑いを取った。式の後には今回はオペラ「ヘンリー8世」が上演され、ディナーとなった。私はロイヤルハイネス、プリンセス・リリアンの隣に座り、話しかける度にそう言わなくてはならず舌がもつれた。リリアン様は王女とはいっても80歳を過ぎていた。茶目っ気のあるお婆さんで、最後にティーバッグの紅茶が出されると、私にこれは何、見たことがないわとつぶやき、微笑んだ。実は彼女は英国出身だったのだ。こんなものは紅茶ではないと言っているのだ。私はヨーロッパの成り立ちを感じた。

２００2年にはフィリップ・ジョンソン設計のドイツ、ビーレフェルト美術館、スコットランド国立現代美術館、英国エディンバラのフルーツマーケットギャラリーと展覧会は続いた。２００3年はシカゴ現代美術館で、「杉本博司　建築」と題された大規模展が開かれた。世界中の近代名建築を意図的に暈《ぼか》して撮ることにより、建築が建つ前の建築家の心に浮かんだ心象風景を再現してみようというコンセプトだ。私は世界中の美術館や画廊での個展を開きながらも、同時に撮影機材一式を携えて、時には名建築を撮り、時には海景を撮影するという旅を続けることになる。同行者は小柳敦子。荷物持ちから撮影助手、美術館と画廊への対応、なんでもこなす私の便利屋兼愛人だ。私は8×10という大型木製カメラの極小軽量化に努力し、一人でも撮れる撮影機材を整えた。1ヶ月程のニューヨークからの旅支度は以下のようだ。とりあえずオープニングに出るためのジャケット1着、カメラ機材一式、米1升、みそ、醤油、梅干し、出汁昆布、海苔、キャンプ用固形燃料と鍋。それと肝心なフイルム１００枚。カメラ以外は基本的に江戸時代の旅支度だ。海景を撮影するには都会から離れた僻地が望ましい。時にはキャンプ場にも泊まる。米を1合炊き、野菜はローカルのものを買い、味噌汁の具にする。日本人の体調を維持する健康管理キットだ。

ボルドー現代美術館の個展オープニングの後、スペインへ向かった我々の為に、美術館が気を利かして、国境の町ビアリッツにホテルを取ってくれた。フランスでのアーティストに対する処遇は驚くほど良い。日本とは大違いだ。

オテル・デュ・パレはもとナポレオン3世の離宮で、我々は皇后ウージェニーの部屋に案内された。天井は5メートル程、私はベッドに横たわり、双眼鏡で天井画を日暮し眺めていた。窓の外はビスケー湾が見晴らせた。その日、連日のフランス料理で私の胃は悲鳴をあげていた。私はその皇后の部屋から一歩も出ず、米を炊き味噌汁を作った。スペインでビスケー湾を撮影した後向かったのはエジプトの紅海だった。紅海は本当に赤いのかという素朴な疑問から行って見てみたいと思ったのだ。ローカル空港でジープを借りると、運転手を付けるという。私は足手まといになるので断ったが値段は人付きも人なしも同じだという。とにかく海岸には出るなと言われた。その当時、中東情勢は険悪で紅海沿岸にはイスラエル侵攻に備えて地雷が埋め込まれているというのだ。私は床が腐り落ちたポンコツジープを繰って海岸の近くを走ったが案の定海岸線は立ち入り禁止だった。一日走り続けると、そこにはこれより先は人が住んでいないという標識があり、そこは限界集落というのだろうか、ドイツ人が小さなキャンプ場を開いていた。これはいつも思うことなのだが、世界の果てにはたいていドイツ人が住んでいた。19世紀のドイツロマン主義の名残りなのだろう。私たちはここに滞在することにした。砂漠の果ての海は素晴らしかった。素潜りで潜ると、そこは乙姫様の竜宮城もかくの如しかと思われる、美しい珊瑚礁が広がっていた。この海は世界一の透明度だという。私たちは1升の米を食い尽くし、仕方なくこの旅を終えることにした。

2003年、久しぶりに東京での個展が開かれた。銀座のメゾンエルメスの上階が会場で、レンゾ・ピアノ設計の光溢れる素晴らしい空間だ。私はここで「歴史の歴史」展を開催した。自作と収集してきた古美術を一緒に展示するという、それから定番化する展示方法の初回だった。私の作品は人間の時間意識を写真という時間装置を通して探索するというのがテーマになっている。この時間意識による作品と実際に時間が経過した古美術品を並置して見せることによって、時間の経過感が立体的に浮かび上がることを意図したのだ。

このころ私は思いがけず名品を入手した。「正倉院伝来裂」だ。正倉院伝来の古裂八十三種が硝子に挟まれてきれいに箱に入っている。おそらく天平の大仏開眼時に使われたと思われる錦や綾などが含まれている。中でも臈纈《ろうけち》といわれる図柄は、まるでマティス絵画のようだ（この本の表紙カバーに使用）。箱書きを見ると柏木探古蔵と記されている。柏木探古は明治期美術研究の第一人者だ。調べてみると廃藩置県の際、旧大名は華族に列せられて県知事になるのだが、新設された各県庁所在地に正倉院御物を展覧して巡ったという記録がある。この間に何らかの事情により、この正倉院裂は民間に流出してしまったらしい。

この正倉院裂と共にもう1点、さらに古く、法隆寺に伝来した「法隆寺裂」もある。この「獅子狩文」と呼ばれる模様は、王様が馬に乗り、振り向き様に獅子を矢で射る姿を現したものだ。遠く7世紀、ササン朝ペルシャで文様化され、その文様はシルクロードを通って唐の都、長安に伝えられ、そこで織られ我が国の法隆寺に伝わったものだ。私は法隆寺と正倉院という我が国の歴史を貫く時間軸の基準点とも言うべき作品を入手出来たことによって、自分自身の作品の時間軸への対抗軸が完成したように思えたのだ。この幸運とも言うべき成り行きはバブル崩壊の賜物だった。この2点は出光美術館名品集所載の美術品だったのだが、出光興産から美術館への寄贈手続きが完了する前にバブルが崩壊したのだ。赤字に陥った会社は期日までに資産を処分せざるを得なくなった。こうして私の古美術への関わりは深みに嵌っていったのだ。私は自分の作品が私の集める古美術品に比較して「負けずとも劣らない」と思えるまで研鑽を重ねた。同時代の作家の作品に私は対抗軸を求めなかった。私が競う相手は同時代ではなく歴史そのものなのだ。たまに売れる私の作品の売り上げは、間髪入れずに古美術品に入れ代わっていった。私は宵越しの金は持たない主義だった。今思うと私の人生は長い綱渡りの人生だった。

護王神社再建

2002年、私は治験者となることを決めた。インターフェロンを使うC型肝炎の新治療法がアメリカで開発されたのだ。おそらく小学生の頃、予防接種の針の使い回しが原因で、私はC型肝炎に感染していた。このままだと肝硬変から肝癌へと進むと医者から言われていた。私は10年ほどでお陀仏、寿命は60歳、終わりが知れていれば人生設計もしやすいと強がっていた。そこへ新薬の話を主治医から聞かされたのだ。私の主治医はDr.コーヘン。イリアナ・ソナベントから紹介された彼女の主治医でもある。他にもロバート・ラウシェンバーグもサイ・トゥオンブリーも患者仲間となった。治療費はすべて作品で支払われた。先生はコレクターでもあったのだ。診察室は現代美術に溢れていて、小品ながら名作揃いだ。目筋が良い。アートを見抜く感覚と病理を見抜く感覚には通じるものがある、と勝手に推測して、私はこの先生の推す新薬の初期段階に賭けてみた。治癒の可能性はフィフティーフィフティーと言われた。

ちょうどその頃、ベネッセの福武總一郎氏から、直島の「家プロジェクト」の話があった。朽ちかけた直島の護王神社を、アートとして再建してほしいという依頼だった。直島は今でこそアートの島として世界中から人が集まるが、その当時は過疎の人気のない森閑とした島だった。護王神社は崩壊寸前で、ご神体は緊急避難して近隣の社に移されていた。私は信仰の対象である神社を、アートとして再建するのは不遜ではないかと一瞬思った。しかし考えてみると、宗教の起源とアートの起源は同じなのだ。人類史の始まり、人が人となった頃、人はその心に神の声を聞き、その姿を象《かたど》る為にアートも始まったのだ。神殿の荘厳は長らくアートの大きな使命だった。私はこの仕事を引き受けることにした。私の建築作品第1号でもある。

私はまず我が国の神の姿の古様を再現したいと願った。神社には住吉造り、春日造りなどがあるが、やはり古様は伊勢の神明造りであろう。伊勢神宮の創建は7世紀後半と考えられているが、これは古事記、日本書紀の編纂とほぼ同時期に当たる。そして不思議なことに、この頃に急に古墳が作られなくなるのだ。これは大和王権の成立と関係していると思われるのだが、私は古墳時代と記紀神話の時代が重なる様式があり得るのではないのかと夢想した。石室を持つ神社、そして地下の古墳と地上の神社を光学硝子の階段《きざはし》が結ぶ。光だけが天上界と地下界を行き交うのだ。私は神明造りの古様を残す皇大神宮別宮の瀧原宮《たきはらのみや》を訪ねた。この社は（天照）大神の遥宮《とおのみや》と呼ばれ、伊勢から宮川を遡ること10里の森閑とした山中にある。私はその場の持つ霊気を体内深く吸い込み、神社設計に取り掛かった。護王神社の構想はこうして形を成していった。私は友人の建築家、木村優氏と彫刻家のよしもと正人氏にも参加を願い、このプロジェクトを進めていくことにした。（「護王神社再建」、『苔のむすまで』　新潮社）

護王神社　全景

その頃、直島で私の作品を収集してくれているコレクターの方々が一堂に会することがあった。森ビルの森稔社長と夫人で森美術館理事長の佳子さん、原美術館の原俊夫館長と、後に夫人になる内田洋子さん、大林組の大林剛郎《たけお》副会長、ヘッドハンターの服部今日子さんは首刈り族という渾名だったが、のちにオークション会社、フィリップス・ジャパンの代表になる。首刈りが評価され、物刈りに転身したのだ。私の世話係、小柳敦子、それとベネッセの福武社長。福武さんは当時、リッチな大型クルーザーではなく、小型ヨットにお住まいで、洗濯物が干してあり、その人柄が思われた。そのヨットハーバーというより、寂れた係留場で、福武さんの手料理をいただくことになった。締めはヨットの常備食、日清チキンラーメン。私はその場を借りて私の護王神社構想を皆様に披露した。「これは私の生涯最高のプロジェクトです」と。すると内田洋子さんがすかさず森稔社長に尋ねた。「森さんの生涯最高のプロジェクトは何だったでしょう」。その頃、六本木ヒルズは完成に近づきつつあった。普段から森さんは経済と文化の融合を語られ、超高層ビルの最上階に美術館を置く夢の構想を熱く語っておられた。福武さんも普段から「経済は文化の僕《しもべ》だ」と豪語されている。お二人は日本では稀有な経済文化人なのだ。皆は森さんが六本木ヒルズと答えるだろうと推測した。ところが意外なことに、森さんはしばらく考えた後、こうおっしゃった。「そうだなあ、佳子と結婚できたことかな」。皆ヒューヒューと囃し、佳子さんはそのほほをほんのりと染めた。

神社の着工とともに治験が始まった。ニューヨークで自己注射セットを受け取り、私は現場に向かった。日本では患者が自分で注射することは原則認められていない。愚民思想というのだろうか、医者は知識人で患者は無知蒙昧という、前近代意識の残滓なのだろう。週に1回インターフェロンを注射すると、高熱が出て動けない。翌日現場に向かうと、階段を1段上り、息をつきまた上る、という有様で、この半年ほどきつかったことはなかった。護王神社の再建とほぼ同時に治験は成功した。私の寿命は奇しくも遅延することとなった。

苔のむすまで

２００２年、私は小学館の編集者、花塚《はなつか》久美子さんの訪問を受けた。当時、実験的な新興誌として創刊された「和樂」の初代編集長だ。彼女は私に連載の企画を申し入れてきたのだ。「テーマはお任せします、毎月12枚ほどの文章をお書きください」。そう言われて私は狼狽した。今まで私は自作の短い解説以外は、まとまった文章を書いたことはなかった。しかし彼女は私が書けると思い込んでいる。さらにまずいことに、彼女は泣く子も黙る美人だった。美は力だ。私は断ることができず、15回の連載を引き受けてしまったのだ。

いざ書き始めてみて、私は意外な感じを持った。文字は原稿用紙の上に、考えるまでもなく湧いて出てくる。私には書きたいことが山のようにあるのだということに気が付かされた。こうして私は自分の職種に文筆業をも加えることになった。私は日本近代史、特に昭和史に興味を持っていた。長く海外にいて、何故あの負ける戦争に日本は突き進んでしまったのかを自分に説明しようとしてきたのだ。連載の最後に私は私の解釈で天皇制の歴史を短くまとめた「苔のむすまで」を書き終え、単行本として新潮社より処女出版した。

この出版と同じ頃に、東京の森美術館では「杉本博司　時間の終わり」展が開かれた。この大規模個展は、海外での知名度が先行していた私を、日本に紹介する良い機会となった。森ビルの森稔社長は、経済は常に文化と共にあるべきだと、常日頃から主張なさっていた。私はその期待に応えて、入館者50万人以上を達成して、展覧会は森美術館企画の世界巡回展として、ワシントンの国立美術館、スミソニアン・インスティテュート、ハーシュホーン美術館へと巡っていった。この美術館は1967年にゴードン・バンシャフトによって設計された、ドーナツ状の展示室を持つユニークな設計で、私は開館以降に追加された雑多な壁を全て取り払い、湾曲する壁に海景が連なるという展示を果たし、展覧会は高い評価を得た。この評価は後に建築家としてこの美術館のロビーの改装を行い、彫刻庭園の全面改装設計へと繋がっていくことになるのだが、その時は予想もできなかった。人生の因縁とは不思議なものだ。

私は執筆において、私の文体と文飾の方法を身につけたように思えた。そして性懲りも無く次の連載を始めることにした。今回は文芸誌の「新潮」だ。私は神仏習合論として「神が仏になる時」、写真論として「時間よ止まれ」を書き、そして今回は昭和史の中の戦中論に挑んでみた。私は太平洋戦争開戦前の昭和初期から終戦の昭和20年までに、米タイム誌の表紙を飾った日本人を調べて「鬼畜の言説」を書いた。タイム誌の表紙を飾るということは、世界中の耳目を集める時の人という意味合いが強い。昭和天皇は3回、その他、東郷平八郎、近衛文麿、野村吉三郎、山下奉文、山本五十六、古賀峯一、東條英機、広田弘毅、松岡洋右など総計18人の日本人が表紙を飾っていた。私はこれら全ての人物についての英文記事を読み進め、当時のアメリカが日本をどのように見ていたのかを読み解いていった。
1940年7月22日号の表紙は近衛文麿が飾っている。6月14日にナチスドイツがパリに入城した直後に発行されている。昭和15年6月は日米開戦の1年半前、近衛はナチスばりの大政翼賛会を準備中だった。近衛文麿の記事は「ナチズムの模倣」というタイトルで始まっている。日本人には近衛は貴公子の印象があるが、この記事は近衛文麿の人柄を厳しく描写していて、どうやら掲載された記事の方が今読むと真実を反映している。一部を私の訳で抜粋してみよう。

近衛の弱点は、その神経の細さにあった。自己逃避の傾向があり、少年の頃には爵位を捨てて米国に移住したい、と考えていたりした。健康問題をまるで暴風退避壕のごとくに使い、政界に嵐が吹き荒れるたびに健康問題を理由に引きこもってしまう。1936年の二・二六事件直後、首相に推されるが、病床に引きこもり、他の人物（広田弘毅）が首相に任命されるまでは起き上がってこなかった。ついに首相になったかと思うと、最初の1週間で8ポンド（3・6キロ）も痩せてしまった。軍部が強引に国家総動員法を押し通して成立させた際には、風邪が長引いたということになっていた。中国で盧溝橋事件が勃発した時には熱射病にかかっている（中略）。内気で優柔不断で非攻撃的、日本人に言わせれば気品があるということらしい。自信や野望を一切持っておらず、近衛自身、国の政治的、経済的問題を解決する自信が自分には全くない、と述べている。さらに近衛には一貫した哲学というものがない。陸軍が近衛を好むのは、彼をどうにでも説得できるからだ。近衛は人間ではなく鏡だ、とまで言われるぐらい

FIFTEEN CENTS
TIME
THE WEEKLY NEWSMAGAZINE
Artzybasheff
EMPEROR HIROHITO
How long can an anachronism last?
(Foreign News)
VOLUME XLV
NUMBER 21

1945年5月21日号表紙

である。政治家は近衛には人徳があると言うが、つまるところは礼儀正しい日和見主義者というに過ぎない。かつては陰気なマルクス主義者で、オスカー・ワイルドの作品を翻訳して喜んでいた。5年前には、ゴルフをする息子の文隆を、プリンストン大学に留学させたということでリベラルと称されたが、2年前にはファシストのごとく「蔣介石の首が籠に転がるところを見たい」と発言している。

私は特に終戦間際の昭和20年、昭和天皇が大元帥姿で登場した5月21日号に注目した。タイトルは「神としての天皇」となっている。連合国側にとって日本の敗戦はすでに明らかだった。この年の3月10日、東京大空襲。3月26日、硫黄島栗林中将部隊全滅。4月、アメリカ軍沖縄上陸開始。4月28日、ムッソリーニ銃殺。4月30日、ヒトラー自殺。5月2日、ベルリン陥落。この時点でタイム誌は日本占領の方策を人々に考えてもらう為に、この特集を組んだのだ。近代国家でありながら、自分の国が神の国であることを固く信じて疑わない、不思議な精神構造を持つ国民をどのように解釈したら良いのか。特に昭和天皇個人の経歴等が詳しく研究されている。私はその全文を和訳して「鬼畜の言説」として一章をさいた。

1年にわたった連載は終了し、『現《うつつ》な像』として再び新潮社から出版した。写真家として、現像液の中から現な像が浮かび上がってくる様を書名にしたのだ。私は本の帯も考えた。表、「私は長い間写真に関わりながらも、未だに真の何たるかを知ることを得ない」。裏、「歴史とは退屈した神々が書いた芝居にすぎないのかも知れない、人々はそれぞれ運命という役を与えられる」。

東條内閣の閣僚を務め、満州国建国にも深く関わった岸信介は戦後日本の日米安保体制を築きあげた。また終戦時海軍大佐だった源田実は、真珠湾攻撃作戦やミッドウェー作戦にも深く関わったが、戦後の航空自衛隊創設を指導することになる。作家の司馬遼太郎は、昭和初期、国家が魔法をかけられてしまったようだと表現した。私も同感だ。陸軍省、海軍省という省庁の官僚たちが、省益を優先させて国家を顧みなかったのだ。私は今も同じようなことが起きているように思う。戦前の官僚体質は何の自己批判も無く、今も連綿と引き継がれている。その意味では、日本は負けなかったのだと言えるかもしれない。

新素材研究所

私が建築と深く関わるようになったきっかけは、ロサンゼルス現代美術館からの依頼だった。1997年の時点で、20世紀の建築を俯瞰する大展覧会を開きたいので、名建築の写真を撮ってほしいというお願いだった。それまでの私は写真に関しては注文は一切受けないという方針を押し通してきたのだが、この依頼にはなぜか心が揺らいだ。私は私のポリシーを曲げることにした。私は大型カメラを使い、焦点を暈すことによって、建築が建つ前の建築家の脳内ヴィジョンが再現できるのではないかと考えた。ここでも写真を使って時間を逆行するのだ。これを機に、私は世界中の建築を撮る旅に出た。私は多々あるモダニズムの建築の中で、何を評価し何を評価しないかについて、自分なりの評価軸を持つようになっていった。もちろんミース・ファン・デル・ローエやル・コルビュジエは素晴らしい、しかし哲学者ヴィトゲンシュタインが設計した自邸も良い。全く無名の四国の豊稔池ダムもモダニズムの傑作だ。私は近代建築史に精通していった。そしてその頃から、私は毎年のようにスター建築家が建てた美術館で個展を開くようになったのだ。

ROYAL ONTARIO MUSEUM, TRONTO 2007

ダニエル・リベスキンドが改修と増築を手掛けたロイヤル・オンタリオ美術館では開館記念展を任された。しかし拡張されたスペースに直立した壁はない。ピラミッドの内部のような三角形の空間の中に、私は大壁を作った。開館展なので建築に溶け込むように自分で設計したが30万ドルもかかってしまった。工事は遅れに遅れて展覧会場はオープニングの日が竣工だった。誰も照明機材の使い方が解らない。パーティーは窓からの街の明かりで続いたが、それも悪くはなかった。電気工事関係者はいない。パーティーたけなわの頃、電源は自動的に落ちてしまった。

概して過激な建築家のスペースは使い勝手が悪い。ソウル市内に建てられたレム・コールハースのサムスン美術館リウムも困り果てた。展示スペースの一番良い場所にエスカレーターが降りてくるのだ。アーティストに対する嫌がらせだとしか思えない。良い例もたまにはある。ピーター・ズントーのブレゲンツ美術館は素晴らしかった。天井から濾過された自然光が美しく降ってくる。建築家がアートを認知しているのだ。少なくともアートを美しく見せようとする意思を感じる。ほとんどの有名建築家は、自分の空間には何も置かない時が最高だと思っている。

ミース・ファン・デル・ローエの晩年の傑作、ベルリンのノイエ・ナショナルギャラリーも素晴らしかった。外部の彫刻庭園とギャラリー間のガラスは遮光幕で覆われていた。私はその幕を取り払い、ミースの当初の設計に戻してみた。近年、美術館は自然光を忌み嫌うようになった。作品が劣化するという。しかし私は良い作品は時間にさらされて、さらに美しくなると思うのだ、法隆寺の五重塔や薬師寺の東塔がそうであるように。私はこの頃の美術館体験を一冊の本にまとめてみることにした。タイトルは「空間感」、サブタイトルに「杉本博司のスター建築家攻防記」

（各美術館の採点表付き）。その帯の文章もご紹介しよう。「私は現代美術作家として、美術館での個展を繰り返してきた。いわば私は美術館という空間の空間消費者だ。私は消費者として、消費者センターに告発したいほど腹立たしいことが度々あった。その反対に、天にも昇る心地にさせてもらえることも稀にある。私は建築に関して考えざるを得ない立場に立ってしまった」。採点表は巻末に付けたが、それぞれ5段階方式で、最高点は5スター。ちなみに最低点に輝いたのはシーザー・ペリ設計になる大阪、国立国際美術館だ。その解説は以下の通り。「建築家の責任よりも、国の設計施工管理体制がこの惨事を招いた。巨額の資金を投入して、不必要な地下施設と二流彫刻もどきのファサードができてしまった。感性のない役人の言うことを全部聞いていたら、こんなことになる。言語道断の建築」。

これは余談だが、ベルリンの国立美術館、ノイエ・ナショナルギャラリーでの杉本展は、当然国家間の文化交流でもある。私はベルリンの日本大使館でのレセプションを打診した。すると答えは、「その日は自衛官の表敬訪問があるのでだめだ」という。私はその話を在ベルリンフランス大使のモンフェラン氏にたまたま話した。モンフェラン氏は駐日フランス大使として長らく東京におられたので、私は親しかった。すると驚くべきことに、それではうちでやりましょう、と言うのだ。こうしてレセプションはフランス大使館にて和気あいあいとした雰囲気の中で行われた。私は思った、スペイン人のピカソもルーマニア人のブランクーシも、みんなこんな風にフランス人にさせられてしまったのだと。各国大使が列席する中、日本大使の顔はもちろん見えなかった。

護王神社から始まった私の建築作品は、その後ギャラリーなどの空間設計の依頼が相次いだ。そして規模の大きなＩＺＵ ＰＨＯＴＯ ＭＵＳＥＵＭの設計依頼が来た時、これを機に私は若手建築家の榊田倫之《ともゆき》と組んで、建築設計事務所「新素材研究所」を発足させた。我が国が失いかけている伝統工法と古い素材を積極的に使う。古いものが最も新しい、という逆説を名前に込めたのだ。会社設立から13年が経ち、初の建築作品集が『Old Is New』というタイトルでスイスのラース・ミュラー・パブリッシャーズ社と平凡社から出版された。私はアーティストとしての体験を反映させた美術館空間の設計を得意としている。熱海にあるＭＯＡ美術館の全面改装では展示ケースに反射が全くなく、手を伸ばすと触れそうな錯覚を導く展示ケースを設計した。今年は東京都港区白金台にある美術館の工事が進んでいる。また私の設計する建築にはアートと建築の間に位置する構築物と呼ぶ方がふさわしいものもある。２０２３年４月完成予定の「Point of Infinity」と題された作品は、サンフランシスコ湾に浮かぶトレジャーアイランドの山頂に設置されるステンレス製の塔だ。高さ24メートル、サンフランシスコ市街から湾を遠望する景観は新しいモニュメントを迎えることになる。

榊田倫之（左）と筆者

ワインとアート

私にも失敗談はある。年と共にその失敗の傷跡が心の中で疼く。あれは20年ほど前の話だ。ニューヨークのスタジオに1通の依頼状が届いた。フランスワインのラベルをデザインしてほしいという依頼だ。私はグラフィックデザイナーではないしワインにも詳しくないのでお断りしてくれと、よく考えることもなくスタッフに言い渡した。それからしばらくしてワインに詳しい友人から叱責を受けた。「一体なんということをしてくれたのだ、無知蒙昧も甚だしい。シャトー・ムートン・ロートシルトの依頼を断るとは」。聞くところによると、このワイナリーはフランスで最も高名なワイナリーの一つで、1945年からアーティストにワインラベルを依頼するという伝統があるという。私は栄誉あるその年のアーティストに選ばれていたのだ。猫に小判、豚に真珠、知らぬがほとけ。私はその名誉の勲章をドブに捨てたのだ。私は1970年からのアーティストリストを見せられて背筋の凍りつく思いがした。1970年、マルク・シャガール。71年、ワシリー・カンディンスキー。73年、パブロ・ピカソ。75年、アンディー・ウォーホル。81年、アルマン。89年、ゲオルグ・バゼリッツ。90年、フランシス・ベーコン。93年、バルテュス。98

年、ルフィーノ・タマヨ。私はワインが文化でありワイン作りはアートを作ることと同じであるということを思い知った。

それからしばらくして、またワイン園の話がやってきた。今回は慎重に対応しなければならない。友人を介してアイルランド人のパトリック・マッキレン氏が紹介された。この人は南仏エクサン・プロバンスの近くに広大なワイン園、シャトー・ラ・コストを入手していた。ワインを作りながら現代美術作家を招請したい、そしてそのワイン園の中にあなたのアートを設置してほしいというのだ。敷地は6万坪、私は早速見学に出かけた。敷地の全体計画には安藤忠雄氏が深く関わっていて、私の行った時には広大なレセプション棟は完成に近づいていた。敷地は歩くには広大すぎるのでランドバギーに揺られて見て回り、選んだ場所は安藤建築に隣接した池の中だった。安藤建築は広大な水盤に浮いていてV字型をしている。その水盤には巨大なルイーズ・ブルジョワの蜘蛛が置かれ、反対側にはアレクサンダー・カルダーの色鮮やかな彫刻が据えられていた。私は建築のV字の内側に私の数理模型を設置するという案を薦めることにした。

それから1年ほど、この現場には何度か通うことになるのだが、ある日こんなことがあった。マッキレン氏とは親しくなり、パティーと呼んでいたのだが、その日は作業も終わり、一緒にロンドンに飛ぶ予定になっていた。小型ジェットに乗り込むと、パティーは言った。「途中ニースの友人の家で昼食を取っていこう」。プライベートジェットは機首の方向を変えて30分ほどでニースの空港に到着した。今思うと、機内でも車中でもずっとU2の名盤「ヨシュア・トゥリー」が流されていた。空港から車で向かったのは海に面した豪邸だった。そこには小柄なおじさんが立って出迎えてくれた。ロックバンドＵ２のボーカル、ボノだった。これは仕組まれた罠だったのだ。同じアイルランド出身者として二人は親友だった。そしてボノは私の海景作品に惹かれていた。自作のアルバムジャケット用に、この別荘の前に広がる地中海を杉本に撮らせようという魂胆だったのだ。私は意図を告げられると、その場で申し渡した。「非常に残念なことです。もしあなたがそんなオファーをしなければ、私はこの海を気に入って、頼まれないでも撮ったかも知れないのに、頼んでしまったことによって撮れなくなってしまった」。

　ボノはこの私の答えをいたく気に入ったようで、屈折した心を持ったアーティストどうしというのだろうか、気心が知れたというのだろうか、その昼食は会話が弾んだ。それからしばらくしてニューヨークのスタジオに連絡があった。「君の海景に触発されて詞を書いた。すでに作曲にも取り掛かっている。自作のアルバムタイトルにしたい」。タイトルは「No Line on the Horizon」だという。水平線に線がない、意味不明で面白い。ボノはギターのジ・エッジと共にスタジオにやってきた。Ｕ２のメンバーはみな仲良しだ。１９７６年に結成された高校のアマチュアバンドがそのまま、あれよあれよという間に有名になってしまった。高校時代のダチ公というのだろうか。私は密かに提供する海景画像を用意して二人をスタジオに迎えた。朝靄に浮かぶ淡水湖「ボーデン湖」だ。水平線もあるような無いような茫然としていて、ボーデン湖。二人は見るなり気に入ったようだった。しかしここで喜ばせるわけにはいかない。私は無理難題を持ち出した。今までの作品使用上のポリシーとして、画像の上に文字乗せは厳禁という条件だ。ボノがのっぺらぼうのジャケットを快諾したのには、私の方が驚いた。渡された歌詞は不思議なものだった。どうやら海を女性に喩えているらしい。要約してみよう。

僕は海のような女の子を知っている。僕のために毎日彼女が変わるのを僕は見ている。ある日、彼女はうねる。君は彼女の貝殻に宇宙がうねる音を聞く。水平線に線がない。

僕は心に穴の空いた女の子を知っている。彼女は言う、無限遠って結構いい始まりじゃない。時間なんて線でつながってないのよ、時間なんて取るに足らないものよ。そして彼女は舌先を僕の耳に突っ込んだ。だめだめ、だめだめ、水平線に線がない。

なんてこった、パンナコッタ。浅いようで深いような、海のようだ。お互いがお互いを驚かせようという遊び心の応酬だ。ボノが言う。今度はダブリン郊外の自宅でジ・エッジと作曲に籠る、そこに来て完成間近の曲を聴いて欲しいというのだ。ボノの自宅はやはり海岸に面した崖の上に建っていた。この人は海が好きなのだ。ジ・エッジとのセッションは泊まり込みの合宿だった。ジ・エッジがフレーズを弾く、ボノが歌う、あんな感じ、いやこんな感じ、これもいい、でもやっぱりこれだぜ。翌朝遅く起きて崖下の海岸に出た。プライベートビーチなのか人気はない。小雨の降る荒れた海が、満ち潮に乗って砂浜を浸食してくる。私たちは居場所がなくなるまでそこに居て海を眺めた。

曲も完成し、のっぺらぼうのアルバムも仕上がった頃、ニューヨークのスタジオで会合が持たれた。私にいくら支払いをするべきかのネゴシエーションの会合だ。ボノの他に弁護士、会計士、他関係者大勢が招集されている。私は面倒なことになりそうな予感がした。U2の世界ツアーには莫大な資本が投下され、またその利益も莫大だ。ここに集まった人たちはその分け前を巡る熾烈な戦いをする人々なのだ。私はボノ一人を私の部屋に呼び込み扉を閉めた。私は言った「Let's go stone age deal」。まだ貨幣のなかった石器時代の取引をしようという意味だ。君は僕の写真を使う、僕は君の音楽を自由に使える。ボノはニヤリと笑い、「Great deal」と言った。ボノが扉を開けてみんなを招き入れた。結果を知らされた関係者はあっけにとられた。弁護士も会計士も、みな何も仕事がないのだ。

翌年世界ツアーが始まった。巨大なニュージャージーのスタジアムには360度スクリーンが設置され、私は海景が入れ替わり現れるデジタル映像を提供した。日本では2019年にさいたまスーパーアリーナでコンサートが実現した。私は安藤忠雄さんと共に関係者席に座った。ボノは安藤さんに自宅設計を依頼していた。スクリーンに海景が現れるとボノがスギモトサーンと叫んだ。気恥ずかしい目に遭わせやがって、と思った。パティーのシャトー・ラ・コストはその後ジャン・ヌーヴェルによるワイン醸造工場も完成し、未だに拡張を続けている。私はいつでも行ける別荘を一つ持ったような気分だ。これもワインが取り持つ縁なのだろう。

ワインの因縁はそれからも続いた。2012年の秋、大林組の大林剛郎会長が、トスカーナワインの醸造家マルコ・パランティ氏を紹介したいと二人で私の東京のスタジオを訪れてきた。大林さんは私の作品のコレクターでもあり、たけちゃんと呼ぶほど親しい間柄だ。パランティ氏は安ワインと思われていたトスカーナのキャンティワインを世界有数の赤ワインにまで育て上げた名物醸造家だった。カステロ・ディ・アマと呼ばれるそのワインをいただきながら私たちはすぐに打ち解け、マルコと呼ぶようになった。話は明快だった。シャトー・ラ・コスト程の規模ではないが、マルコもワイン畑の中に毎年一人のアーティストを選んで作品をコミッションしていた。来年はぜひ私に任せたいというのだ。早速私はフィレンツェへ飛んだ。その頃から私は毎年世界一周便の航空券を2回分買い、世界の各都市を廻りながら仕事をこなすというライフスタイルになっていった。

朝目覚めるとここは何処なのかしばらく分からない。私は旅芸人になっていた。カステロ・ディ・アマはフィレンツェから車で2時間あまり、深い山々を越えた先にあった。18世紀頃には数百人が住んでいた。今の人口はマルコと愛妻のロレンツァの二人、それと猫が5匹。ワイン畑で働く人々は町から通って来るのだという。寒村というのだろうか。古い家が並んでいるがみな空家だ。礼拝堂も幾つかあるが空家だ。この空虚な街にはすでに何人かのアーティスト達が作品を仕上げていた。アニッシュ・カプーアは無人の礼拝堂の床に不気味な赤い穴を穿っていた。イリヤ・カバコフはワイン畑の中におとぎ話の小屋を建て、その様子を望遠鏡で覗くという仕掛けを設置していた。ルイーズ・ブルジョワの作品は最晩年の傑作だった。古いワイン醸造施設の地下には、洞窟のような暗い空間があり、いつも水滴がぽたりぽたりと垂れている。その水の滴を受けて、小さなピンク色の石でできた妖精のような彫刻が、水に濡れてうっすらと光り置かれてい

日本公演の楽屋にて、左から筆者、ブラッド・ピット、安藤忠雄、ボノ

るのだ。ダニエル・ビュレンはめずらしく、鏡に矩形をくり抜く作品を風と光に晒していた。みんな顔見知りのアーティスト達だ。

私は時差ぼけの早朝、世界各地の朝を徘徊するのが習わしとなっている。人々が目を覚ます前の、夜明け前の薄明かりをうろついてみると、その場所の歴史に残る気配のようなものが感じられるのだ。このほぼ廃村と化した建物を巡りながら、私は自作の構想を練った。村の中心部近くにある使われなくなった礼拝堂のドアーを押してみた。鍵は開いていて冷気とともに黴が香った。祭壇にはマリア像の絵が残されていた。そしてその祭壇の裏側には小部屋があり、小窓から光が差していた。

私は何故かここだと思った。ここは懺悔の部屋ではないかと直感的に思ったのだ。私は懺悔のためのアートを考え始めていた。その時考えついたのが「零」を見つめることができる空間、その「零点」を見つめることによる瞑想空間を作れるのではないかと考えたのだ。「零点」は数学的には点で質量を持たない。私は双曲線がポイントゼロで交わる数理模型を対にして一方を床から、一方を天井から吊るすことで、あるべき「零点」を暗示するという装置を考えた。数理模型上では「零点」は作ることはできない。ぎりぎり最高の工作精度で製作しても先端部は直径1ミリ程になる。相対する先端部との間は12ミリほどの隙間となり、「零点」は確実にその中間部のどこかに存在する筈だ。私は現場を採寸し、簡単な図面を描いた。それから1年半をかけて、限られた予算の中で精巧な数理模型の頂点部分を日本で、大きな裾の部分をイタリアの白大理石で加工することにした。試行錯誤の末作品は完成し、作品の完成を祝って、盛大なパーティーが催された。200年前の村人たちがみんな帰ってきたような賑わいとなった。私は友人の武者小路千家若宗匠の千宗屋さんに、マリア像への献茶の儀式をお願いした。私もシューベルトのアヴェマリアを歌で捧げ、礼拝堂には霊気が戻ってきたかのようだった。

マルコの作る赤ワインは1985年のブラインドテイスティング競技で、老舗のフランスワインに勝って優勝し、一躍その名を世界に轟かせた。2003年にはエノロゴ・オブ・ザ・イヤー（年間最優秀ワイン生産者）にも選出されている。マルコはワインだけでなく素晴らしいオリーブオイルも生産している。この年から毎年秋になると1年分の搾りたてのオリーブオイルとワイン2ケースが送られてくるようになり、私の料理の味も格が上がった。これは後から知った事なのだが、マルコがイタリアの農業大学で栽培学を学んだ後、醸造学を学ぶために師事したのがボルドーのパトリック・レオン氏だった。この人は後にシャトー・ムートン・ロートシルトの醸造長になる人だったのだ。これも奇縁というのだろうか。私の初期の失敗、ワインラベルを断ってしまったという失敗は、こうしてかろうじて失地を回復したことになる。

CONFESSION OF ZERO 2014

パレ・ド・トーキョー

2009年、思ってもみない賞が舞い込んだ。高松宮殿下記念世界文化賞だ。私は絵画部門、リチャード・ロングが彫刻、ザハ・ハディッドが建築、アルフレート・ブレンデルが音楽、トム・ストッパードが演劇・映像部門の各受賞者だった。この賞には写真部門はない、私は私の仕事が写真としてのみ評価されたのではないことを嬉しく思った。授賞式は常陸宮殿下から顕彰メダルが授与され、関連行事が数日続く。私は国際顧問である中曽根元首相のとなりに着席する機会があった。90歳を過ぎた元首相は、悟っているのか、眠っているのか、半眼でもの静かだ。私は8月15日の終戦の日はどちらにおられましたか、と話しかけた。するとたちどころに眼球には生気が宿り、私は海軍主計少佐で、江田島にいましたと話し始められた。主計少佐の仕事とは、戦場での武器弾薬や食料を手配する仕事で、時には輸送船に乗って敵の攻撃に身を晒す仕事だ。多くの部下をなくしたと述懐された。おそらく戦後歴代首相の中で、戦争の現場を身をもって体験した人は、この方だけだろう。

私は太平洋戦争の推移を調べる上で、存命の方々の話をなるべく多く聞き取るようにしてきた。

それと共に、残された遺物も収集してきた。特に日本滞在中は、毎週日曜に開かれていた靖国神社骨董市に顔を出した。そこで私は様々な戦争関連遺品を買い漁った。78回転ＳＰレコード盤、その音源内容は以下のようだ。「防衛総司令部選定　大政翼賛会作詞作曲『進め一億火の玉だ』」、「大東亜戦史　大詔渙発『鵬の羽搏くところ（ハワイ海戦）』」（ニュース実況録音）、「軍人勅諭奉戴五十周年記念　東郷平八郎元帥所感」（肉声録音）。その他、満州鉄道新京駅木製看板。陶器製地雷と手榴弾（金属の枯渇による）。昭和12年日独伊防共協定締結記念琺瑯鍋。金鵄勲章7級から5級まで（武功抜群の者に贈られる。生存者のみならず戦死者の家族にも贈られた）。その靖国骨董市は数年前に廃止されてしまった。私にとっては敗戦の時代が終わってしまった感じだ。

２０１３年、ニューヨークでマイナーなオークションが開かれた。第二次世界大戦の遺物が売りに出される、それもイントレピッド海上航空宇宙博物館縮小に伴う放出品だと謳っている。この博物館には太平洋戦争の、日本軍からの戦利品が多数所蔵されていたのだが、終戦後半世紀以上が経って、もはや不要と判断したのだろう。空母イントレピッドは１９４３年に進水して、レイテ沖作戦、硫黄島上陸作戦、沖縄戦にも参戦している。その度に執拗な神風攻撃を受け重大な損傷を受けながらも辛うじて永らえた。その後ベトナム戦後に退役し、ハドソン川に博物館として係留されたのだ。私は下見に出かけて驚いた、とんでもないものがあるのだ。硫黄島の戦いで、アメリカ軍兵士に向けて発行された「Jap Hunting License」、日本人狩猟許可証、とでも訳せば良いのか、それも No Limit と書かれている。これはアメリカ軍が発行した正式なもので、期限はなし。今でも有効ということになる。他にも司令官栗林中将が使用した硫黄島地図。地図の革ケ

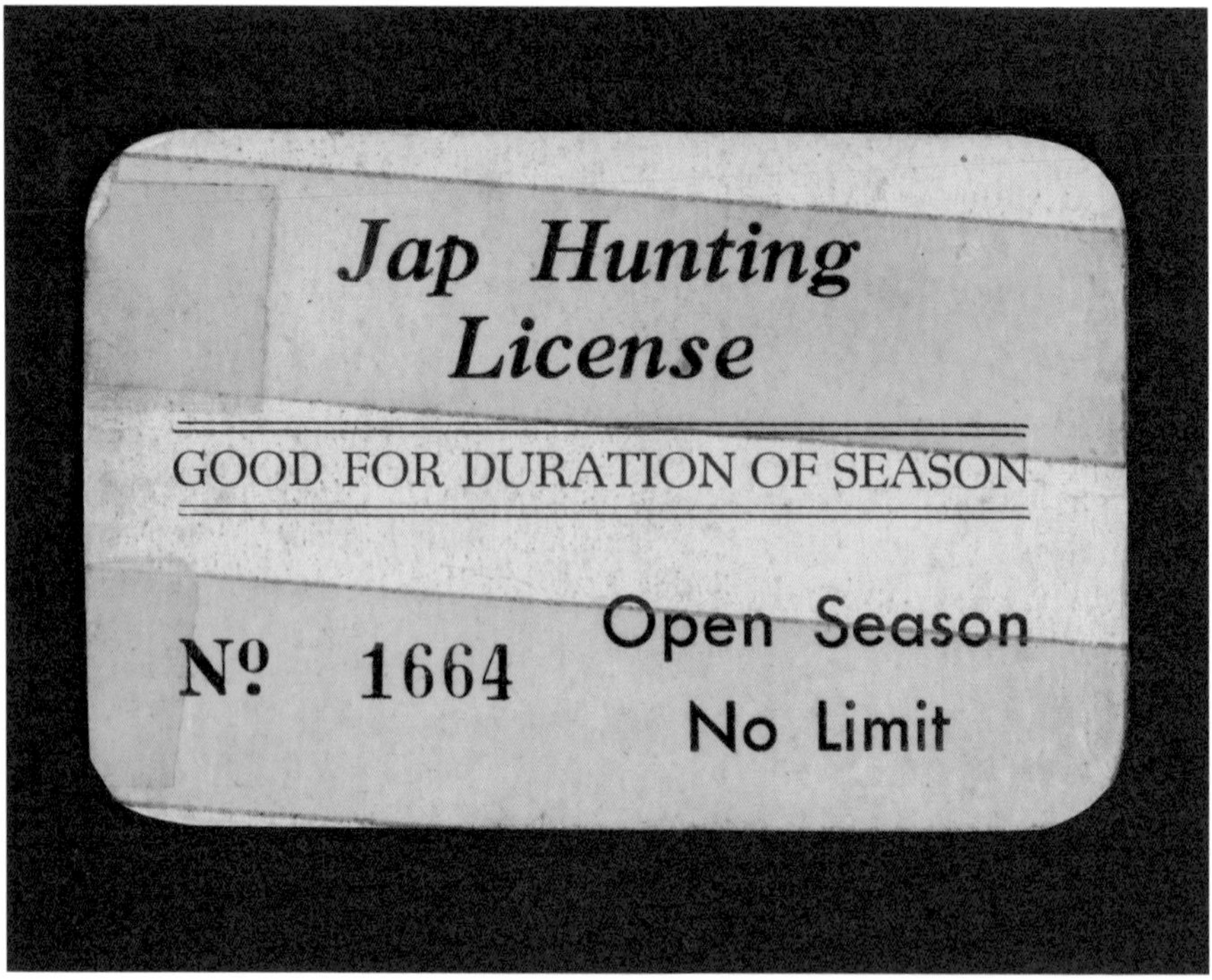
Jap Hunting
License
GOOD FOR DURATION OF SEASON
Nº 1664
Open Season
No Limit

ースには硫黄島北端、栗林司令官の洞窟にて拾得、と英文でインクで書かれている。地図は畳まれていたらしく黒焦げの部分が痛々しい。おそらく洞窟突入時、火炎放射器で焼かれた跡だ。もう一つ、東京裁判で検事団が使用していたA級戦犯全員の顔写真、巣鴨刑務所で写されたもので、全員犯罪者然として写されている。それに全ての写真には本人の自筆サインが英字で書かれている。私は意を決して、戦場に赴くような覚悟でオークション会場に出向き、上記全ての品々を落札した。今回だけは負けられないと思ったのだ。

２０１４年、パリでの展覧会が企画された。場所はパレ・ド・トーキョー。この美術館は第一次大戦時、フランスの同盟国だった日本の首都にちなんで名付けられた通りの名前が Avenue de Tokyo（東京通り）だった為に、その通りに面した宮殿として名付けられたのだ。第二次大戦中はナチスによってユダヤ人没収財産の保管庫となった曰く付きの場所だ。美術館とは言うものの、空調もなく半廃墟化している。私はここで、文明の終わりを想像するという構想を練った。展覧会名は「今日世界は死んだ。もしかすると昨日かもしれない」とした。アルベール・カミュの小説『異邦人』の冒頭、「きょう、ママンが死んだ。もしかすると、昨日かもしれないが」をもじったのだ。私は人類史上、資本主義が勝ち残った現在、拡大再生産が前提とされる資本主義では、人類は破綻すると思っている。経済が永遠に成長することは不可能だ。成長とはより森を切り、より水を汚すことを意味する。人間は自然を食いつぶしながら成長するのだ。私は33の文明滅亡のシナリオを書き、33の廃墟を作り上げ展示することにした。その中にはまさかの新型ウィルスによる滅亡説もあった。その他にも隕石落下の話もある。私は私の隕石も展示することにして美術館のコンクリートの床に穴をあけ、地下の便所の便器をこわして着地するというインスタレーションをした。天窓もこわし床をぶちぬく、そんなことが許されるのはこの美術館だけだ。

この美術館の館長はジャン・ド・ロワジー氏で、私の過激な提案を喜んで受け入れてくれるアーティスト肌の館長だ。キュレーターは三木あき子さん。この美術館は廃墟然としていても国立の美術館だ。フランスの文化行政の中に日本文化を背負う日本人が活躍しているのを見るのは頼もしい。

展覧会場には照明もなく、ただ雨漏りのする天窓からの明かりだけが頼りだ。夕闇が迫る頃には来館者一人一人に懐中電灯が渡された。そこには私の収集した戦争遺品達も並べられていた。私は展覧会の出口に書いた。パリのパレ・ド・トーキョーが廃墟である、末法の世は、今、確実に到来したのだ。この展覧会のカタログに代わるものとしてフランスの老舗美術誌であるカイエダール誌が、その100号記念号として杉本特集号を組んでくれた。その冒頭に私が寄せた文を転載する。

カイエダール100号記念に寄せて

1926年の創刊以来、時代の最先端を切り開いてきたアーティスト達を紹介し続けてきたカイエダールは、この号を以て100号に達しました。この記念すべき特別号に寄稿できることを名誉に思います。

カイエダールの歴史は近代美術の歴史そのものと言えます。人類史の文明の流れの中で、世界が大きく変わる時、その予兆はアートにまず現れました。新石器時代へ向かう洞窟壁画、美しいギリシャの列柱、ジヨット・ディ・ボンドーネの壁画、そしてモダンアートの幕開けを告げる作家達（ピカソ、マティス、デュシャン他）、始まったものには必ず終わりがくる、という自明な命題のもとに、私はこの号で近代の終わりをアートとして夢想してみることにしました。始めにモダンアートの初期の名作を振り返ったあと、近代の終わりの様々な可能性を描いてみました。そして最後に化石がその生きた命を時間の内に封印するように、私たちの命の源となった古生物の姿を辿りつつ、近代が化石となる姿を思い描きながら、この号を締めくくりたいと思います。

杉本文楽

「此の世のなごり、夜もなごり、死に行く身をたとふればあだしが原の道の霜。一足づつに消えて行く、夢の夢こそ哀れなれ」

この件《くだり》は文楽「曾根崎心中」道行の冒頭。七五調の名文は日本人の耳に心地よく響き、一度聞くと忘れられない。しかし意外なことに、この戯曲を今の日本人が聞いたのは昭和30年、野澤松之輔作曲による曾根崎心中、復曲の時だった。実はこの曲は江戸幕府によって禁曲とされ、昭和の御代まで250年以上、上演されなかったのだ。近松門左衛門によるこの代表作は、世話物といわれ、今でいう週刊誌ネタのスキャンダル速報として、元禄16年に初演された。京都にいた近松は、大坂でのお初、徳兵衛の情死を知り、すぐさま大坂の曾根崎に出向いて、近隣から聞き取り取材をし、1ヶ月で書き上げ、上演に持ち込んだのだ。

我が国の仏教思想史の中では、恋愛が取り沙汰されることはなかった。しかし近松は、愛し合う男女が、この世で結ばれない運命の時、仏の導きで、心中によりあの世で永遠に結ばれるという、美しくも日本人の心の琴線に触れるファンタジーを創作したのだ。この人形浄瑠璃は空前の

杉本文楽でのお初

大当たりとなり、経営危機に陥っていた道頓堀の竹本座は息を吹き返したと言われる。封建制度の中にあって、添い遂げられない若い男女の追いかけ心中は、野火のように広まっていった。此の期に及んで幕府はこの曲を禁曲とし、禁令を犯して心中した男女は、葬式禁止とした。葬式ができなければ観音浄土への成仏もないのだ。

この話を私に教えてくれたのは、義太夫語りの豊竹咲甫《さきほ》太夫《だゆう》（現：竹本織太夫《おりたゆう》）だった。咲甫太夫の言うには、昭和30年の復曲の際、近松の原文が現代人向けに改変省略され、冒頭の観音廻りも割愛されてしまった。いつか原文復曲を目指したいという咲甫太夫の望みを聞き、私はその実現を買って出たのだ。その頃、また恩寵というか幸運が舞い降りてきた。今まで失われたとされていた「曾根崎心中」初版本の完本が富山県黒部市で発見されたのだ。私は、「この本で上演しておくれ」という近松の声を聞くような想いがした。

この戯曲の根本として、お初には観音への深い帰依があったということが重要である。冒頭の大坂三十三ヶ所の観音廻りは省くことはできないのだ。私は近松原本主義と共に、舞台演出も大胆に変えることにした。今の歌舞伎や文楽の舞台は私には明るすぎる、電灯のない江戸時代にはありえないと、常日頃思っていた。しかし、伝統芸能の世界で今までのしきたりを変えるなどは不可能に近い。それもズブの素人、現代美術作家などという怪しげな輩が何を言う、というのが初期の雰囲気だった。ところが幸運というか天啓が降りてきたのだ。紫綬褒章をいただくことになったのだ。これで雰囲気は一変した。伝統芸能の世界では、この褒章は人間国宝に並び称される権威だったのだ。私はいきなり胡散臭い芸術家から、立派な先生と思われるようになったらしい。

私は舞台は闇が良いと思った。闇の中にほのかに浮かぶ人形の姿、たとえ人間国宝の人形遣いである吉田簑助師匠といえども、頭巾を被ってもらい、顔を隠していただいた。するとどうだろう、人間の眼は、闇の中の人形を、人の大きさになぞらえて見る。リアリティーは増した。作曲は鶴澤清治師匠にお願いし、冒頭にはオペラのような序曲もお願いした。恋の情念、それに続く心中という悲劇を予感させるような、静かに始まり暗くも激しく高鳴っていく序曲。私はその曲をジミ・ヘンドリックスのように、という変なお願いをした。ところが出来上がってみると、正に私の注文通りだった。文楽の三味線は太棹三味線《ふとざおじゃみせん》と言われ、普通の三味線よりも太く重厚な音色だ。その太棹三味線に胡弓の細い線のような音色が加わり、ご詠歌のようなゴスペルのような音色となった。そしてさすが人間国宝、鶴澤清治の超絶技巧が聞くものの耳を酔わせた。完成した「杉本文楽 曾根崎心中 付り《つけたり》観音廻り」は、2011年3月の東日本大震災で、当初神奈川芸術劇場で予定されていた柿落とし公演は中止となったが、同年8月に初演を果たし、その後、国際交流基金の企画公演としてマドリッド、ローマ、パリ、と海外公演へと旅立った。マドリッドでは日西交流400周年記念公演と銘打たれ、スペイン語字幕付きで上演された。驚いたのは最後の心中場面で涙を流す人々がいたことだ。ローマでは広大な日本大使公邸の庭に特設会場が設けられ、前夜祭が閣僚の方々を交えて盛大に執り行われた。パリは特に盛り上がったように感じた。私の友人のアーティスト、ソフィー・カルはいつも皮肉で強気なのだが、ソフィーが涙ぐんだのを見て、私はこの公演の成功を確信した。

ル・モンド紙　2013年10月13-14日

未来成仏うたがひなき恋の手本となりにけり。パリの初日もこの名調子で幕を閉じた。次の日の、ルモンド紙の一面に記事が出ると言われた。私は文化欄だと思ったのだが、翌日、1面に大きくお初徳兵衛の写真が掲載され、文化面トップには「杉本は人形に命を吹き込んだ」という大見出しと共に再び写真と記事が掲載された。日本の大新聞の1面に経済、政治を差し置いて、劇評が載ることは、あり得ない。私は文化というものの成熟度の違いを感じた。

料理人になる

私はまた一つ職種を増やしてしまった。職といっても他人様《ひとさま》からお代を頂くわけではないので、プロではなくほんの遊びのつもりなのだが心はプロだ。これはだいぶ昔に遡るのだが、日本帰国時に寝泊まりできる場所として築50年の古マンションの一部屋を改装した際、そこに客4名のカウンター割烹をキッチンの代わりに作り込んだのだ。世の中、アーティストと呼ばれる人たちには食い意地が張っている連中が多い。私もその一人なのだが、ロンドンの彫刻家、アントニー・ゴームリーのスタジオにはプロのキッチンが据えられ、昼食は本人が包丁を持つことも多い。やはりロンドンの建築家、デービッド・チッパーフィールドも美食家だ。毎年夏の間、スペインはガリシア州の海岸に面したコルベドという田舎町に住んで友人たちを招き、毎日キッチンに立つ。私も二夏をそこで過ごした。2度目には京都の料亭「和久傳《わくでん》」の女将と若い板前5人を研修と称して招き、地魚を料理してもらった。日本ではデザイナーの田中一光さんは料理の腕が立った。陶芸家の辻村史朗は奈良の山奥に住んでいて、訪ねると、山に入って何やら美味いものを採ってきて、火に炙る。それが美味い、まるで縄文人だ。

私は海外に住んで、アーティストの友人達や多くのコレクターの自宅に招かれて、手料理を振舞われることが多い。そんな友人達が日本に来るときには、私が手料理でもてなさないわけにはいかない。そんな理由から自宅にカウンター割烹ができてしまったのだ。そこで供する料理はもちろん割烹料理だ。私の料理修行は80年代に遡る。そしてそれは骨董修行と共にあった。1年に4回、骨董を探して国内を旅したが、骨董の聖地は何と言っても京都だ。老舗の骨董店でちょっとした骨董を買う、するとその晩は一献、ということになる。骨董商は趣味と味が勝負だ、李朝の味のある粉引徳利に桃山の黄瀬戸のぐい飲みと唐津の杯をひっさげて、さあ、どこに行こうということになる。京都の街は奥が深く、秘密結社のような料理屋に案内されることになる。こうして私は味をしめていった。数ある料理屋の中で私が大変懇意になった店が1軒あった。割烹の老舗「たん熊」で長い間修行して、店を開けたばかりだった。私はいつも大将の前に席を取り、その手さばきを眺め続けた。一目瞭然だ。会話も弾み、京都弁の難しさも教わった。大将は言う、「えーぐじが入りました」。女性のお客さんは言う、「よろしゅおすなー」。これはいただきますという意味だ。「よろしゅおす」。これはいらないという意味だ。10年も通ううちに一通りの料理はできるようになった。1品を除いては。それはすっぽんだ。生きたすっぽんに箸を食いつかせて首を落とす。これだけは勘弁だ。数ある品の中でも、「たん熊」の初代が戦前に考案したという「ほうらく鍋」は私の得意料理になった。素焼きの小鍋に卵汁と出汁を流し、上火の天火で焼く、スフレのような料理だ。

こうして自宅での割烹サービスは始まり、染物の老舗「ぎをん齋藤」で暖簾まで染めてもらった。「ぎをん齋藤」のご主人にはその後、舞台用の幔幕や野村萬斎さんの為の装束など、一生お世話になることになる。

日本料理の基礎ができあがるとその応用はさらに楽しい。私は撮影の為に赴く世界各地で、美《う》味《ま》いものを探した。しかし何といってもイタリアは奥が深い。私は食いものの誘惑もあって、イタリア全土の海岸線踏破を計画した。海景を撮りながら美味いものを探そうという魂胆だ。ローマから車でイタリア半島を横断し、アドリア海に出る、そこから海岸沿いに南下して風光明媚なガルガーノ半島を巡り、ついにイタリア半島東端、プーリア州のオトラントという小さな港町に着いた。中世の街並みそのままに、透き通るように透明な海が広がっていた。海岸に沿った旧市街のレストランに入り、ボンゴレはあるかと尋ねると、そのロープだという。我々の席は小高い石垣で出来た水際で、真下は静かな波が打ち寄せる海だ。ウェイターが紐を引きずり上げるとザルにアサリが顔を出し、一斉に潮を吹いた。私はこれは旨いと直感した。ニンニクにトマトとアサリのパスタ。私は感激した。朝飯もここで食べたいと思い、このレストランのB&B《ベッドアンドブレックファースト》に泊まることにした。それは8月で裏庭はトマト畑だった。朝起きて2階の窓から裏庭を見ると、畑で完熟になったトマトを収穫し、半分に切って網に並べている。魚の干物作りと同じだ。そこに粗塩を振りかけて、天日干しにする。トマトは完熟で中身は青緑で半分溶け出している。夕方見てみると夏の陽を一日浴びて水分が飛び、半分の大きさに干からびている。これがその日のトマトソースなのだ。太陽の光と食材の関係、椎茸も帆立も鯵も、陽の光を浴びて旨味の絶頂に達するのだ。私は再び同じ皿を注文し、この料理を私なりにマスターした。そういえばローマからアドリア海に向かう高速道路は、南から来るトマト満載のトラックが落とすトマトで、路面が真っ赤になっていたのを思い出した。8月はトマトが最もおいしい季節なのだ。こうして私のトマトソースは日本バージョンとして完成した。大きめの桃太郎トマトを使う。商店街の八百屋のおじさんから、明日は売り物にならないほど店頭で熟してしまったトマトを箱買いする。一箱12個で200円、おまけにもう一箱ということも多々ある。スーパーではこれは出来ない、八百屋のおやじだから頼めるのだ。トマトはさらに様子を見ながら、東南に向いた窓辺で日に晒し追熟させる。もう崩れるというところで大鍋に湯を沸かし皮を湯むきする。そして半日かけて弱火で半分の量に煮詰め、私のトマトソースは完成するのだ。このかけ蕎麦のようなトマトソースは当割烹の定番となった。

私は「お菜記」を付けている。いつ、誰に、何を出したか。その時の床の掛物は何だったかが詳しく記録されている。同じ皿、同じ軸は同じお客様にはお出ししない、というのは茶道に於ける茶事と同じ気概だ。一期一会、二号多会、愛人即煩悩（意味不明）。「お菜記」に登場した差し支えない方々を抜き出すと、石岡瑛子さん。石岡さんには、どなたか好きな方をお連れくださいと言うと、三宅一生さんがやってきた。小池一子さんは田中一光さんをお連れになった。細見美術館の細見さんは赤瀬川原平さん、山下裕二さんとご来訪。モンフェラン・フランス大使は、池田亮司夫人、エマニュエルさんと共に来てくださった。この割烹料理屋には一つだけ欠点がある。板場に立つ私も一緒に飲んでしまうのだ。談論風発、あらかじめ仕込んだ皿をすっ飛ばしてしまうことがある。しかしどんなに話が弾んでも料理は出来立てを食す。食材に敬意を表して、しばし黙って味わうことが肝心だ。このお菜記が女性誌の「婦人画報」編集者の眼に留まり、連載として掲載されることになった。連載に先立って私は悪だくみを考えた。店の名前は「味占郷《みせんきょう》」とし、杉本の名はとことん伏せる。都内某所にある秘密の割烹があるという仕掛けなのだ。連載初回冒頭に私は口上を書いた。

水の惑星地球の多様な自然環境の中で、日本列島の自然は、地球上の他のどの地域にも見られない、豊かな自然を保ち続け、今でもその自然はかろうじて残されています。縄文時代から今まで、一万数千年のあいだ、この地に住む人々は、自然を愛で、自然の内に在る神々に祈りを捧げ、そしてその自然の恵みを享受してきました。それは大陸の人々が自然を壊し、文明を築いていった方向とは正反対の自然へのアプローチでした。自然からの恵みをいかに新鮮に、美味に食すかという工夫が、長い間に磨かれて、今日の和食が完成したのです。割烹「味占郷」で供される料理の数々は、華美に走らず、豪奢に奢らず、古からの日本人の食を再現することを目指しています。割烹「味占郷」は、自然の内に美味を発見する喜び、すなわち「味を占める」ということに由来しています。

この割烹には味に味を占めたお客様が集いますが、営業は不定期、新鮮な素材が入荷した折に気の向いたお客様をおもてなしする、敷居の高い、嫌みなお店でございます。もちろん住所、電話、メールなどは公表いたしておりません。予約は百年先までうまっています。あしからず。

亭主敬白

左から鶴澤清治師匠、筆者、宮沢りえさん

記念すべき第1回には、その当時、杉本文楽の制作にご尽力いただいていた太竿三味線の鶴澤清治師匠をお招きした。ご同伴はお好きな方をと申し上げると、弟子で特訓中の宮沢りえさんをお連れするという。願ってもないことだ。当初は私が料理を作り、写真も自分で撮る、という計画だったのだが、試してみたら手一杯、写真どころではない。それに私も板前として顔がわからないようにぼかして登場するという段取りで、今回ばかりは友人の写真家達の助けを借りることになった。初回の掛け軸には鎌倉時代の文殊菩薩像を掛けた。利発で美しい菩薩の尊顔が、りえさんのお顔と二重写しのように見えたからだ。茶碗蒸しには桃山時代の志野向付を使った。本来ならば美術館のガラスケース越しに眺めるものだが、焼き物は使うために作られたのだ。ここは潔く使うことに意義がある。私は写真に添える文章を書くことにして文体を編み出した。巷に昔いた偏屈おやじが、この世を嘆き、昔を懐かしみながら、お客様と四方山話をする、時には設えと料理の薀蓄《うんちく》を申し述べるという風にした。

連載は好評のうちに2年半、30回を数えた。編集部には問い合わせの電話がかなりあったそうだが、最後まで極秘を通した。最終回のお客様は野村萬斎、野村裕基親子をお迎えした。供した料理は「鴨フラージュ」。鶏肉を燻製にして色を濃くし、皮と身の間に薄く炊いた大根を挟んだもので、鴨肉そっくりに見える。今まで世間様を欺いてきた締めくくりでカモフラージュなのだ。そしてこの連載は意外なかたちで終わりを迎えることになった。連載で使われた掛け軸や器を美術館でお披露目することになったのだ。展覧会名は「杉本博司　趣味と芸術――味占郷」。

2015年秋に千葉市美術館で、翌年春には京都の細見美術館に巡回した。また巡回展に合わせてカタログ代わりに連載は単行本化され、講談社から出版された。単行本表紙には私の名前を出して、私はカミングアウトした。あとがきの一部をここにご紹介しよう。

あとがき

私は人が悪い。高級料理屋などに行くと良く聞かれるのが「お嫌いなものはございますか」だ。私は「ごちそう」と答えたりする。毎回同じではつまらないので「お好きなものは何ですか」と聞かれた時はつい、「人を喰いたい」と言ってしまった。笑ってもらえればよいが、仲居さんはきょとんとしていた。「お煙草はお吸いになられますか」「すいません、すいます」どちらだかわからない。

人の悪い私は、料理本を作ろうと思い立った。私はごちそうが嫌いだ。本当にうまいものは腹のすいている時の一品か二品で、これでもかと出されるごちそうほど、心と体に悪いものはない。うまい酒とちょっとした酒のあて、それと何よりも話の通う友人、そして共に眺める古今の美術品。いわば私の絵日記のようなものを、多少芝居がかって作ってみることにした。私はごちそうと共に、おもてなしも嫌いだ。心のこもらない、贅沢なおもてなしは辟易とする。しかし心のこもったおもてなしのほうがもっと辛いこともある。おもてなしには何か対価を求めるいやしさが付きまとう。人生を生きるには、時に表なしの裏わざも求められる。しかし私

ルーシー・リーの器に鴨フラージュ

は政治家ではない、ただの人の悪い芸術家だ。
私は慇懃無礼ではあるが愛のある、偏屈で嫌みな割烹のおやじとなって顔を隠して、ここに登場することにした。私の知らない、古き良き時代には、こんなおやじがいたかもしれない。魯山人と湯木貞一が、酒神バッカスの宴に招かれたといった想定で、私の想像上の割烹を自作自演してみた。この本の出版の後は本業に戻りまして、しばしのあいだ割烹「味占郷」は休業とさせていただきます。

杉本博司

能　巣鴨塚

私の太平洋戦争関連史料に新たな1点が加わった。私はこの史料を「板垣征四郎大将揮毫帳写し」と名付けた。A級戦犯に指名された板垣大将が、巣鴨の獄中にあって、死を覚悟していたA級戦犯全員に揮毫帳を回し、その胸の内を書くようにと求めたのだ。殆ど無償で働いてくれている、清瀬一郎氏をはじめとする日本側弁護団に、お礼として進呈しようという気持ちだったらしい。なぜそのような貴重な史料が私の手元に巡ってきたのだろう。思い起こしてみると、それは戦争画展を開きたいという飯田高誉さんの誘いだった。私は意気に感じて協力を約束した。戦争画は藤田嗣治のアッツ島玉砕の図をはじめ、名画が多いが、国立近代美術館の倉庫に死蔵され、基本的には展覧しないことになっている。しかし海軍兵学校のあった江田島にも残されていて、跡地は現在海上自衛隊幹部候補生学校になっている。私達二人は許可をもらって江田島まで実見に出向いた。どうしたわけかこの島は米軍の空襲を受けずに明治期の名建築が今でも多数残されている。私は建築史としての興味からも以前から訪れてみたいと思っていたのだ。そこには戦前のエリート達が住まいした海軍兵学校の匂いが色濃く漂っていた。我々は数点の戦争画の名画を見出し、出品の交渉に入ることになった。そのためには市ヶ谷の防衛省に出向かなければならない。その時の交渉相手として紹介されたのは総務課広報室長の佐藤正久氏だった。今は自民党の国会議員になっているが、あのイラク派遣部隊のヒゲの隊長だ。私は訪問の意を告げ展示許可をお願いしたのだが、私が旧敵国に住んで、あの先の大戦開戦の理由について、日本人として説明をしなければならないという苦しい立場に立たされること、第一次近衛内閣の時のトラウトマン工作になぜ乗れなかったのか、あの時ドイツを介して日中和平提案を飲んでいれば太平洋戦争はなかったはずだ、と会話は細部へと深く入り込んでいった。会見の予定を大幅に超えて、最後にヒゲの隊長は一冊の冊子を私に下さった。「これは自衛隊幹部にのみ渡される史料です。ご参考になると思いますので」と渡された。簡易製本されていて題字も何もない。それがA級戦犯全員の独白の書だったのだ。

最初の頁に達筆の墨書で「感無量」昭和丁亥　秋　征四郎書、と書かれている。東條英機元首相は「一誠　萬艱ヲ排ス」、広田弘毅元首相は「飛龍　天ニ在リ」、嶋田繁太郎元海軍大将は「至誠神ニ通ズ」、畑俊六元元帥は「滅却心頭」、木戸幸一元内大臣は「至誠」、星野直樹元企画院総裁は「タダ君ト国恩トヲ思フ」、と皆簡潔に漢詩を書く者が多かった。最後に板垣大将の文が再び現れ、自序と題された長文の漢詩が書かれていた。そこには軍人としての、自身の長い一生が簡潔に表現されていた。この詩は、読み方によっては自己弁護の書とも読める。しかし私はそこに、満州事変の当事者となり、朝鮮軍司令官も務め、大将にもなった人が、敗戦の失意の中で死を迎える心境を語る、ある意味で、平家物語を今の世に聞くような感慨に囚われた。私はこの漢

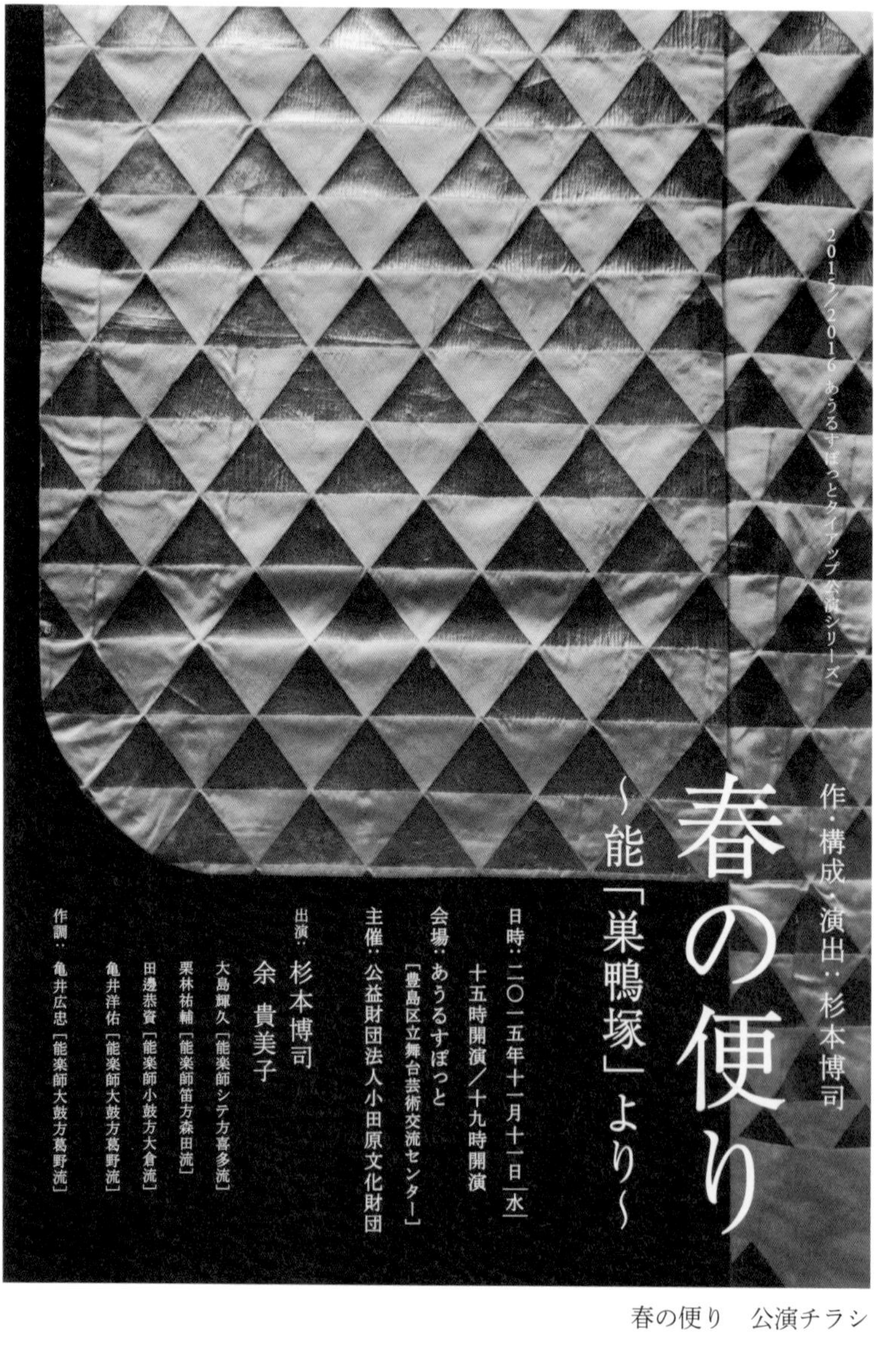
2015／2016 あうるすぽっとタイアップ公演シリーズ
作・構成・演出：杉本博司
春の便り
～能「巣鴨塚」より～
日時：二〇一五年十一月十一日［水］
十五時開演／十九時開演
会場：あうるすぽっと
【豊島区立舞台芸術交流センター】
主催：公益財団法人小田原文化財団
出演：杉本博司
余 貴美子
大島輝久【能楽師シテ方喜多流】
栗林祐輔【能楽師笛方森田流】
田邊恭資【能楽師小鼓方大倉流】
亀井洋佑【能楽師大鼓方葛野流】
作調：亀井広忠【能楽師大鼓方葛野流】

春の便り　公演チラシ

詩は能の謡として翻案できるのではないかと考え始めた。こうして能「巣鴨塚」の構想が私の中で形を成していった。

まず唐土《もろこし》の国から旅の僧が巣鴨塚を訪れる、そこへ塚守りの老人が現れ、旅の僧に昔語りを聞かせる。あまりに詳しいその話に、僧が名を尋ねると、我こそは板垣征四郎の霊であると言って消えていく。その夜の僧の夢に、再び軍体となって現れた征四郎の亡霊は、自身の漢詩をもって心境を吐露しながら無念の舞を舞う。私はこの話を平家滅亡の頃の文体として整理するため、各登場人物の名を改変した。板垣征四郎常信（板垣大将）、東条の大臣《おとど》（東条英機）、石原の少将（石原莞爾）、松嵩の中将（マッカーサー）、慄屯卿（リットン卿）、帝（昭和天皇）。

冒頭の地謡は次のように始まる。

枯野に春は遠からず、枯野に春は遠からず、巡り巡るは因果の春

ワキ　これは唐土方《もろこしがた》より出でたる僧にて候、我いまだ倭国を見ず候程に、小舟に身を任せて流れ着き候、さてもこのあたり荒地にて巣鴨塚と見ゆるも訝しく存じ候。春近くして春の陽なく、冬名残て春の香もなし。

前シテ　（塚守りの老人登場）　げに恐ろしや春の便り、げに恐ろしや春の便り、春の便りは魔の便り、寂滅亡国の響あり。国滅びて山河あり、春の訪れ恐ろしや。

春の便りとはハル・ノートを指す。開戦直前にアメリカから日本に送られた交渉文書だ。当時のハル国務長官から送られたのでハル・ノートと言われた。日本軍の中国大陸からの完全撤退を求めるもので、日本はこの要求を突っぱねて開戦を決意するのだ。能は昭和天皇の開戦の詔勅の朗読へと進み、ハワイ真珠湾攻撃の雄叫びが響き、やがて勝ち戦から負け戦へ、転落の漢詩が地謡となって謡われてゆく。最後に後シテが舞い終えると声が聞こえてくる。

国に奉じ、市ヶ谷に死して、靖国に祭られしが、国の大臣《おとど》の訪れも絶え果て、生死のはざまに浮かばれず、生きて王道楽土の夢を追い、負して俘虜の辱めを受け、死して咎人の汚名を着る。あなうれしや、春の便りの無き世を去らん。

板垣の霊は焦土と化したこの国に、春の便りが永遠に来ないことを祈りながら消えていく。その板垣の願い通り、この国は永遠の冬に閉ざされて、今日に至っている。

私は２０１４年12月23日深夜零時20分、板垣征四郎大将が絞首台の露と消えた時刻に、巣鴨刑務所の跡地にある公園の石碑の前に、台本を献じ黙禱を捧げた。この場所が絞首台のあった場所なのだ。そして翌秋、巣鴨の刑場近くの小劇場、あうるすぽっとにて、朗読劇「春の便り」としてシテ方、大島輝久の舞と共に、この台本を朗読した。板垣大将を余貴美子が、旅の僧を私が担当した。今、私はこの「巣鴨塚」を朗読劇から一歩進んで、能舞台で演じられる能としての上演を計画している。今のこの世にこの能を見せる意味はあると思うのだ。平家物語が成立するのは、生々しい戦を生きた人たちがこの世を去った頃だった。盲目の琵琶法師たちがその戦を語り始めたのだ。その頃、源平の合戦が終わってから百年程が過ぎていた。今、先の大戦が、能として語られる日がようやくやって来たような気がする。

江之浦測候所

私はここ10年程、この人生をどのように閉じたものかを思案している。私は50代半ばまで、資産と呼べるほどのものは持てなかった。古美術商時代、骨董品を買い、それはすぐに人手に渡り、現金はすぐに骨董に化けた。50代の後半に作品が高値で取引されるようになり、私にも多少の余裕が出てきた。しかし持ち慣れない金ほど危ないものはない。私は東京は下町の生まれで、元来江戸っ子を気取っている。宵越しの金は持たないということを人生に当てはめると、人生越しの金は持たない、というのは気っ風が良い。死んだ時点で貸借対照表がバランス零、というのは気持ちが良さそうだ。貸し借りなしの使い切り。それが全て作品として結実している、というのは理想ではないかと考えた。私は私の作家活動のまとめを考える年齢に達している。現代美術や古美術が見せられる空間、演劇活動が継続的に仕込める舞台、しかしそれ以上に、その地に建てられる構築物達が、何らかの歴史的な意味を帯びるもの、そして願わくば、来たるべき建築の数々が、建築史的に見ても類例のないような、独創的な建築である事などの条件を自らに課した。

このようにして私は小田原文化財団、江之浦測候所の構想を固めていった。そして何かに導かれるように、私はこの小田原の土地を与えられたのだ。その土地は本書の冒頭に書いた、私の記憶の始まった場所、相模湾を望む江之浦という土地だった。これは偶然というには話ができすぎているような気がする。人間として生まれ落ちて初めての記憶に残る景色、その場が死に向かう年代に自分に与えられたというのは、何事のおはしますかは知らねども、と西行が詠んだ感覚に近い、何者かの存在を強く感じざるを得ない心境に私を導いていった。

この土地は広く開けた相模湾を眺める高台で東に面している。私がまず構想したのは長い隧道だった。冬至の朝、この隧道を相模湾から登った朝日が通過する。一年に一度だけの光の隧道を作りたいのだ。私は構想をまとめ、江之浦測候所概説を書いてみた。

「アートは人類の精神史上において、その時代時代の人間の意識の最先端を提示し続けてきた。アートは先ず人間の意識の誕生をその洞窟壁画で祝福した。やがてアートは宗教に神の姿を啓示し、王達にはその権威を装飾した。今、時代は成長の臨界点に至り、アートはその表現すべき対象を見失ってしまったようだ。私たちに出来る事、それはもう一度人類意識の発生現場に立ち戻って、意識のよって立つ由来を反芻してみる事ではないだろうか。小田原文化財団 江之浦測候所はそのような意識のもとに設計された。悠久の昔、古代人が意識を持ってまずした事は、天空のうちにある自身の場を確認する作業であった。そしてそれがアートの起源でもあった。新たなる命が再生される冬至、重要な折り返し点の夏至、通過点である春分と秋分、天空を測候する事にもう一度立ち戻ってみる、そこにこそ微かな未来へと通じる糸口が開いているように私は思う」

この測候所と名付けた施設の計画が進んでいくにつれて、私は建築群の耐用年数について考えるようになった。コンクリートの耐用年数は約100年と言われる。エンパイア・ステートビルなどの1930年頃のマンハッタンの建築群はもうすぐ耐用年数をむかえるが、おそらく時代の象徴として遺跡化していくように私には思えた。古代コンクリートと石で作られたローマのパンテオンは二千年後の今も健在で遺跡化している。さらに二千五百年前の、ギリシャのパルテノン神殿も石の建築で美しい。ピラミッドは四千五百年経って、錆びきった威厳をもって古代の王達の尊厳を今でも体現している。

そうだ私は遺跡を作りたいのだと思い当たった。この測候所の構造は基本は石でできている。現代文明が何らかの理由で滅んだあと、例えば五千年後、ここは遺跡となって美しい姿を晒す。おそらく100メートルの夏至光遥拝ギャラリーのガラスは砕け散り、屋根は落ちているだろう。しかし石造りの100メートルの壁だけは凜として錆びながらも夏至の太陽光に向かって屹立している。70メートルの錆果てた隧道も半ば入口が埋もれて冬至の軸線に向かって顔を覗かせているだろう。こうして私はこの施設の竣工予定日を五千年先と定めることにした。果たしてその時、その美しさを愛でてくれる人がいるのだろうか。私はその問いを不問に付すことにした。「諸行無常」が日本人の感性に流れる通奏低音なのだ。

構想に10年、建築に10年の歳月をかけて、2017年10月、小田原文化財団 江之浦測候所は、

江之浦測候所　夏至の日の出

この世の行く末を暗示するような、滝のような暴風雨の中、開館した。３千坪の土地には隧道をはじめとする基本施設が完成した。翌年、取得してあった農地も含めて、規模は1万１５００坪となり、竹林を巡る回遊路が整備された。この時点で、私は農業法人「植物と人間」を立ち上げた。私は農家のオーナーになったのだ。耕作が放棄されて久しい柑橘類の畑を再興し、野菜などの栽培も始めた。遺跡化の前には必ずや危機が来るだろう。その時の備えでもある。この施設の初期段階から携わってくれている若い建築家の磯崎君に次世代を託して、この農業法人を預けた。

敷地内には石造品が多数据えられている。藤原京石橋（飛鳥時代）、川原寺礎石（白鳳時代）、元興寺礎石（天平時代）、京都五条大橋礎石（桃山時代）、信長の比叡山焼き討ちで焼けた日吉大社礎石、それに法隆寺創建時の若草伽藍礎石など。若草伽藍の礎石は聖徳太子が見たのは確実だろう。もしかしたらお触りになったかもしれない、と思うと私の血は騒ぎ、私は日本文化を生きていると思えるのだ。たくさんの古代から中世、近世にかけての遺品が集まってくる。石が石を呼ぶのだろうか、中には12世紀、中世ヨーロッパ、ヴェニスのグランキャナルに面した商館のファサードに嵌め込まれていた石板までもが到来した。旧約聖書に出てくる「生命の樹」が彫られていた。近隣には根府川石石切場があり江戸城の石垣もここから切り出されている。私にとっては願ってもない場所だ。石が必要になると私は石の山に分け入り石を探す。私が作庭の指南書にしたのは、平安期に書かれた橘俊綱による『作庭記』、世界最古の庭作り本だ。その中に「石の声を聴け」とある。私はそれこそが真髄であると思いなして、常に石の声を聞くように自分を律していった。私は石に呼びかける、どうして欲しいのかを。すると石は答えてくれるばかりか、石仲間に噂が広がったのか、石の方から名乗りを上げて、ここ江之浦の地まで結集してくるようになったのだ。私はその不思議な成り行きを書き連ね、『江之浦奇譚』として岩波書店から出版した。私は今、この場所で私の墓穴を掘りながら、ゆっくりと歴史を反芻している。私はこの施設全体を私の「遺作」と思いなしている。私の命が尽きる時、作品は中断され、それから五千年の時に磨かれて完成を迎えるのだ。

『江之浦奇譚』が出版されてから半年ほどが過ぎた頃、奇譚が奇譚を呼ぶのだろうか。石の大物が忽然と私の目の前に現れ出たのだ。私の飲み仲間に「和三盆の会」と私が名付けた会がある。3人のぼんぼん育ちのことを言う。古美術商瀬津雅陶堂3代目の瀬津勲さん、茶道具商谷松屋戸田商店14代目の戸田貴士さん、藤田美術館の4代目館長、藤田清さん。この3人は時折我が割烹杉本に集まり、志野のぐいのみやら粉引きの徳利やらを持ち込み自慢話を披露するのだ。甘く育った割に眼は利くようだ。その酒席の話に、藤田家初代、藤田伝三郎男爵が明治時代に入手した天平時代東大寺七重塔の礎石が、行き場を探しているという話が出た。その礎石は大阪の藤田家邸宅の庭に据えられたのだが、今は結婚式場になっている。そしてコロナで結婚式が激減し土地ごと売られてしまうと言うのだ。私はその場ですぐに手を挙げた。翌週みんなでこの天平期の礎石の実見に臨んだ。それは巨大で見事で輝いていた。東大寺創建時、金堂の左右には高さ100メートルにも及ぶ東塔と西塔が建っていたのだ。西塔は平安期に落雷で焼失、東塔は平重衡の焼き討ちで焼失、礎石だけが伝わったのだ。今その礎石は江之浦に据えられて相模湾を見下ろしている。私は来た来たきたんまたきたんと思った。

ヴェルサイユ宮殿

フランスのヴェルサイユ宮殿では毎年一人のアーティストが選ばれ、大個展が開催される。2018年は私に大命が下った。問題はその広大さだ。私は大きさに大きさで対峙するのは得策ではないと考えた。2008年のジェフ・クーンズは巨大な風船人形のような彫刻を鏡の間に並べた。2014年のリー・ウーファンは巨大なアーチを庭園に置いた。2016年のオラファー・エリアソンは池の中央に巨大な人工滝を設置して人々を驚かせた。しかし私には30万坪と言われる圧倒的な敷地に対しては微力にすぎないと思われた。私は巨大に対抗できるのは極小ではないかと逆説に打って出ることにした。場所も鏡の間のある宮殿ではなく、敷地の一番奥にある、トリアノン宮殿にした。ここは、ルイ16世がマリー・アントワネットに贈り、アントワネットが革命までの月日を暮らした、プライベートな場所なのだ。アントワネットは池の畔に草葺き屋根の田舎家を作らせた。豪華絢爛の生活に飽きたのだ。

私は日本人の中にも一人、豪華絢爛の生活に飽き飽きした人物を知っていた。千利休だ。利休が行き着いたのは柿葺きの2畳の茶室だった。侘び茶の佇まいは「藁屋に名馬を繫ぎたるがよ

ヴェルサイユ宮殿の池に浮く茶室「聞鳥庵」

し」と利休が私淑した村田珠光は言っている。これはロールスロイスに乗って、屋台のおでん屋に行く、といった風情であろうか。金持ちが貧乏人を気取る、というのは嫌みの極致なのだが、この危うさが逆説に転じて「美」を生み出すのが、日本文化の離れ業だ。私はトリアノン宮の大きな池に、2畳の茶室を浮かべることにした。幸い茶室はイタリアにある。2014年、ヴェニス・ビエンナーレ国際建築展に招かれ設置された硝子の茶室「聞鳥庵《モンドリアン》」が運ばれてきた。この茶室は利休作「待庵《たいあん》」の壁面構成がすでにモンドリアンの抽象を先取りしている、という意味を込めて命名されたのだ。茶室「待庵」の壁はほぼ正方形で、その4面ある壁の構成はどの面を見ても、幾何学的構成に神経が研ぎ澄まされている。特に正客が背にして座る壁を見ると、二つの下地窓の大きさの対比と高さのずれ、その間を細い竹の見切りが突き抜けるバランスの妙。私はモンドリアンに始まる幾何学的抽象の美意識と感性は、400年も前にすでに千利休によって発見されていたのだと思うのだ。ヴェニスの水盤に浮いて四方をガラスで囲われた茶室の中にいて、鳥の声を聞く庵として「聞鳥庵」と命名された。

　ヴェルサイユ宮殿はすべてが正確な対称形で設計されている。私は硝子の茶室を池の中心に置き、茶室の躙り口に至る長い橋掛かりの軸線を90センチずらした。すべての建築が正確に中心軸にそっている中で、このずれはひと際目立った。遠方から見ても広大な左右対称の庭の中で、小さな1線だけが均衡から外れている。秩序から脱落している。全体主義に反抗している。一人だけ自由を謳歌している。無政府主義者の孤独な演説のように、その線は一線を越えてしまったのだ。これが私の、巨大さへのしっぺ返しだった。

もう一つの仕掛けはトリアノン宮の庭園内にあるプチ・トリアノン宮殿に仕込まれた。ここヴェルサイユには、その創建の頃から今日に至るまで、多くの貴顕の紳士淑女が訪れていて、ゲストブックにサインが残されている。それらの人物から私が蠟人形として撮影した人々にお集り願い、パーティーを開こうというアイデアだ。ナポレオン・ボナパルト、ベンジャミン・フランクリン、ダイアナ妃、カストロ、オスカー・ワイルド、サルバドール・ダリ、昭和天皇、その他大勢の方々に時代を超えて、お集りいただいた。もちろん私の硝子の茶室にご案内したかったのですが、皆様、超高齢の為か、足が硬直して、身動きが取れませんでした。

他にも仕掛けはトリアノン宮のあちらこちらに鏤められた。宮殿2階の豪奢な広間には、マリー・アントワネットの肖像写真が飾られた。戦前の映画「マリー・アントワネットの生涯」に主演した女優、ノーマ・シアラーの蠟人形を撮影した私の作品だ。写真はほぼ等身大で、あたかも往時と同じようにマリー・アントワネット様はゲストの皆様をお迎えしている。

プチシアター、テアトル・ド・ラ・レーヌはマリー・アントワネットの為に建てられた小劇場で、彼女は革命の足音を聞きながら、この劇場で作曲家に多くの曲を依頼して音楽を楽しんでいたという。私はこの小劇場の舞台にスクリーンを張り、今度は２００６年のソフィア・コッポラ監督の映画「マリー・アントワネット」を上映し、私の映画館シリーズの一つとして撮影をし、その作品を劇場のロビーに飾った。そのスクリーンは白光に眩いほどに輝いていた。

トリアノン宮の庭には小さく瀟洒な建物が散在し、散策の合間に休息ができるようになっている。その一つが八角形をしたベルヴェデールという建物だ。天井は高く、8面に窓があり、外は樹々の緑に包まれている。床は幾何学模様の素晴らしいタイルだ。私はこの八角形の中心に、数理模型を置くことにした。作品タイトルは「Surface of Revolution with constant negative curvature of hyperbolic type」。日本語だと「負の定曲率曲線を持つ回転面」だ。これは数学の双曲線関数を立体にしたもので、彫刻ではなくあくまで模型だ。私はこの Revolution という一語に引き寄せられた。意味はもちろん回転だ。しかしこの言葉は革命という意味に転化していったのだ。時代が大きく回転していく様が革命なのだ。私は回転面の意味が革命の表面とも取れることに気がつき、この私の大展覧会のタイトルを「Surface of Revolution」とした。蠟人形も数理模型も写真そのものも、すべてサーフェース、表面だけがあって中身は何もない、あるとすればそれは空虚だ、革命もしかり。そんなメッセージを込めた。

この展覧会準備中に意外な展開があった。私がキュレーターにマダム・タッソーの歴史を説明していると、ここにはルイ14世の顔に直接蠟を流して型取りした浮き彫りの絵があるというのだ。タッソーより80年ほど前だ。ルイ14世は太陽王と呼ばれ、このヴェルサイユ宮殿もこの王の発案で作り始められたのだ。絶対王政最も華やかなりし頃の王様だ。私は早速その絵を実見させてもらった。尊顔は横顔で、かなり蠟で盛り上がっていて目にはガラスが嵌め込まれている。彩色されたその絵は、私の写真術によって生き返らせることができると、私の眼球の奥に閃きが走った。私は早速撮影にかかり、絵を立体に置き換えて、あたかも生き写しの肖像写真にすることに成功した。私は自作を見つめながら思った。「太陽王ルイ14世は私の目の前にいる、髭そり後の毛穴まで克明に見える」と。私はまさに「御真影」が撮れたのだと自画自賛した。死の10年前に型取

ルイ14世の面影

られた記録から逆算すると、１７０５年のお姿ということになる。我が国では富士山が爆発する宝永の大噴火の２年前、「忠臣蔵」の赤穂事件の２年後にあたる。

パリ　オペラ・ガルニエ公演

２０１９年の春、私はパリのコレージュ・ド・フランスでの講演を依頼された。ここはフランスの知の殿堂と呼ばれ、ここでの講演依頼は学問をする人々にとっての「上がり」を意味する光栄なことらしい。私は自身の一生をまとめる意味で「L'Estro armonico」と題した講演をおこなった。ラテン語で調和の幻想と訳す。ヴィヴァルディにも同名の曲があり、高校生の頃から美しい旋律に付された不思議なタイトルに魅入られていた。

人類種は地球自然環境の中で発生した、特殊な生命であり動物種である。人は自然の一部なのだ。そしてその発達は環境に育まれ、環境との調和の内に進化してきた、しかしその調和は今、幻想の内にあるのではないか、というテーマで話した。しかしその後1年も経たないうちに、世界は調和を崩してコロナの渦に巻き込まれるとは思ってもみなかった。

病禍の中、オリンピックも昭和15年の悪夢再来で返上せざるを得ないような状況だ。あの時は日中戦争の勃発だった。私はオリンピックもクーベルタン男爵の当初の理念から、遠く離れてしまったと思う。その始まり、誰も儲けようとは思わなかった。私はこれからのオリンピックは発

オレリー・デュポンと筆者

展途上国に限定して開催されるべきだと思う。貧しい国の社会のインフラを、豊かな国が援助する。選手村は大会後病院になり、各種スタジアムは運動場付き学校になるように設計するのだ。

人に寿命があるように、文明にも寿命があるのかもしれない。人は時間意識を持つことによって文明を開いた。時間意識とは「死」の意識化だ。死の意識化と共に「永遠」という意識も芽生えた。私は「永遠の命」を主題とした舞踏劇「鷹の井戸」をパリ・オペラ座からの制作依頼を受けて上演することにした。女優のナタリー・ポートマンが、夫と杉本文楽パリ公演を観たことがきっかけだった。夫のバンジャマン・ミルピエは次期オペラ座バレエ団の芸術監督に指名された直後だったのだ。公演はその後、オレリー・デュポンの下で実現した。それもオペラ座開設350周年を記念するシーズンの幕開け公演という極めて注目度の高い公演だ。そしてこのオペラ座を始めたのは、あのルイ14世だ。これはあの王様の肖像を再現できたことに対する、冥界からのお褒めのメッセージなのだと私は受け取ることにした。

舞踏劇「鷹の井戸」の原作はアイルランドの詩人W・B・イエイツによって書かれ、1916年にロンドンのキュナード邸で初演された。その水を飲めば永遠の命が与えられると言われる水の湧く井戸が、絶海の孤島にあるという。その水を求めて王子クーフリンは海を渡り島にたどり着く。しかしそこには井戸守りの鷹がいて、老人が50年も水の湧くのを待ち続けていた。この曲は実は能の影響の下に書かれた。謡本の初の英訳はアーネスト・フェノロサによってなされた。フェノロサは初世梅若実の弟子だった。その英訳は出版されることもなかったが、フェノロサの死後、未亡人がボストンに持ち帰り、その遺稿は詩人のエズラ・パウンドを介してイエイツに渡ったのだ。イエイツはこの能の物語の英訳を読んで、その冥界の物語が、妖精伝説の伝わるケルトの魂に響くことを直感して、「鷹の井戸」を書いたのだ。

　私はこの作品を21世紀の現代バレエ曲として編曲しなおすことにした。音楽を現代音楽家の池田亮司、振付をウィリアム・フォーサイスの率いるバレエ団で修行をしたアレッシオ・シルヴェストリン、舞台衣裳をファッションデザイナーのリック・オウエンスに依頼した。最後の場面では観世銕之丞《てつのじょう》、梅若紀彰《きしょう》のダブルキャストとして、幽鬼と化した老人が能装束を着て登場することにした。舞台美術は私自身で挑戦した。オペラ座の舞台制作チームは素晴らしい職人集団だった。ありとあらゆるオペラの名場面を作り続けてきたチームだ。私はオペラ座の舞台に大きく弧を描くスクリーンを設置して、そこに大海原を思わせる色面を投影することにした。しかし簡素なデザインほど難しいものは無い。悪戦苦闘の末に思い通りの写幕が完成した。舞台上には能舞台と同サイズの所作台が置かれたが、問題が一つ発覚した。オペラ座の舞台は客席に向かって3度の傾斜が付いているのだ。能役者は舞台上を摺り足で静かに進む。傾斜した舞台で果たして摺り足が可能かは疑問だ。舞台衣裳も困難を極めた。主役の鷹姫役はエトワールのリュドミラ・パリエロだ。エトワールとはオペラ座ダンサーの中でもトップに立つ数名に与えられる称号だ。衣裳のリック・オウエンスはファッション界にあって最も過激なデザインで知られる一人だ。もちろん舞台衣裳は初めてだ。鷹の衣裳の試作品が送られてきて私は度肝を抜かれた。羽の長さが4メートルもあるのだ。デザインの良し悪しの問題ではなく、踊れるか踊れないかの問題だ。リュドミラの体はか細いダンサーの体だ。早速テストリハーサルが行われたが、やはり重すぎる。過激な衣裳は数回の軽量化が図られ、なんとか舞うことができるまで軽くなっていった。重要な老人の役はアレッシオ・カルボーネ。この人はこの公演を最後に引退する。オペラ座のダンサーは42歳で皆定年となるのだ。この劇のテーマは「老いと若さ」でもある。過酷な定めを受けて最後の花の舞台を飾るべく、その筋肉は練習ごとに輝きを増していった。もう一人の主役は王子クーフリンの役だ。この役はユーゴ・マルシャンに与えられた。若く、輝くような美男子で躍動感に満ち溢れている。当代一の人気者で、この人を見るために客が集まる。オペラ・ガルニエには有名なシャガールの天井画のさらにその上にたくさんの大小の稽古場がある。私も稽古期間中ディレクターとして一室を与えられ、スタッフと共に制作に励んだ。

初日は瞬く間に来てしまった。演劇の醍醐味はこの感覚だ。ハラハラドキドキ。かけがえのない瞬間にだけ垣間見ることのできる芸術、その潔さ、それが演劇だ。私は写真を使って時間を釘づけにしてきた。時間の磔刑だ。演劇は時間に逆らう瞬間が命なのだ。

客電が暗くなり、池田亮司の電子音が響き始める。電子音といっても原音は能楽で扇を叩く張扇の音から取っている。ケルトの精霊達が群舞を始める。スクリーンの後ろから登場するダンサー達は時には影絵のようにそのシルエットを舞台に投げかける。いよいよクライマックスの永遠の命の水が湧き上がるシーン。舞台は観客の眼を盲いるような光に突然満たされる。そして最後に幽鬼となって能役者が杖をついてゆっくりと登場する。鷹に眠らされてしまった王子クーフリンを目覚めさせ、その杖を手渡してこの舞踏劇は終わる。永遠の命の水を得たいという、人の空しい願いをこの杖が引き継いで行く象徴なのだ、人間の性《さが》として。いよいよの退場の場面。能役者は再びゆっくりした摺り足で舞台下手に消えて行く。舞台の傾斜は特訓でこなしたのだ。その後をクーフリン役のユーゴが摺り足を真似るように舞台を渡って行く姿は優雅だった。初日舞台後、あまりの過激さゆえか、驚嘆と賛美の入り混じる大きな拍手が舞い上がったが、呆然とする人々もいた。日本ではＮＨＫが特集を組んで全編を放映し、ＤＶＤも発売された。

もし私に永遠の命などが与えられたらどうしよう。生きて生きれず、死のうとしても死にきれない。それは地獄だ。死ぬに死ねない命などまっぴらだ。限られた命だからこそ、私はアーティストとして作品にその命を閉じ込めたいのだ。

パリオペラ・ガルニエ公演

書家になる

「青天を衝け」は青天の霹靂だった。まさか自分が、というような仕事が来るものなのだ。それはＮＨＫ大河ドラマの題字を揮毫《きごう》してもらいたいというものだった。私が近年、書を嗜んでいることを知る人はごくわずかな筈だ。それは映像作家、柿本ケンサク君の仕業だった。私の作風に敬意を持つ若い映像作家が、晴れて大河のオープニング映像制作を委託されたのだ。それでいつか一緒に仕事をしたいと思っていた私に題字を書かせることを思いついたのだ。私はコマーシャルはやらない方針だったが、いつの間にかグレーゾーンに飲み込まれていた。パリのカルティエ財団で個展をした経緯から、東京の国立新美術館での、カルティエの宝飾品をアートとしてみせるという展覧会デザインを任されてしまった。アートとしてのエルメスのスカーフのデザインは、のちの「Opticks」という作品に繋がっていく。それに私が足を踏み入れてしまった建築はコマーシャルだ。依頼主のために依頼主が気にいるような建築を作る、というよりも気に入ってくれる依頼主とだけ仕事をする。今思うと若い頃は突っ張っていた。今、この年になってみると「清濁併せ呑む」の心境だ。

青天を衝け

私はこの仕事を受けることにした。謝礼は驚くほど少ない、しかし使われる機会は驚くほど多い。渋沢栄一翁の出身地、埼玉県深谷市関連の全てのグッズ。手拭い、Tシャツ、ボールペン、清酒、きんつば、あんころ餅、煮ぼうとう。おまけに名産のねぎなどなど。もちろん番組冒頭にも題字は登場する。

私が書を始めるには理由があった。それは江之浦測候所の為の石碑群と扁額を作る必要があったからだ。それは門扉であったり、道標であったり、茶室の名前だったりした。自らの作る施設なのだから、自らで命名し、その名は自分で書く。どうやら私は文人を気取りたいらしい。

中国古代の知識人の理想の暮らし、それが文人だ。文人の嗜みとして「詩書画」をよくする者を三絶という。その他にも「琴棋《きんき》書画」もある。琴を奏で、囲碁に打ち込み、書画も嗜む。文人は俗世を離れて山林に隠れ住み、自身の文雅の為の余技としてそれらを行う。決して金銭目的であってはならない。反骨精神を持ち、矜持を貫き、権力に迎合しない。つまり知識人でありながら貧乏で清く生きるという生き方が一種の理想とされたが、実際は書や画を売って糊口を凌いだようだ。我が国では鴨長明が文人らしい文人だろう。宮中で琵琶の秘曲を聞いて憶えてしまい、その曲を友人に聞かせたことが発覚して、琵琶の名家から訴えられて宮中にいられなくなってしまう。その後は方丈という一丈四方の組み立て小屋を引いて放浪の旅に出る。それが中世文学の金字塔『方丈記』を書かせるのだ。私は自分の写真という画を売って、生活しているので文人とは言えない。しかし書は人の為に書くと、たいそう喜ばれる。文人気分を少し味わえる。私は建築家として、自身の設計する空間には名前を付け、その字を扁額にして、竣工時に進呈するというのが慣例になってしまった。

私は物事に習熟するには、先ず先人の偉業を見習うことにある、とある日気づいた。それにはちょっとしたきっかけがあった。10年程前のことだ。京橋の、日頃から懇意にしている古美術店を訪ねたところ、こんなものが蔵から出てきましたと見せられた書があった。業界用語で「めくり」という。もともと表具されていた画や書が切り取られて本紙だけが残ったものだ。これは端的に言うと偽物として処分された、いわば「屍体」だ。雅で高価な表具裂が使われていたために、表具取りされた。つまり身ぐるみ剝がされて捨てられたのだ。しかし待てよ、と私は思った。その書は立派で堂々としている。筆者は本物ならば宗峰妙超《しゅうほうみょうちょう》、天皇から賜った名は大燈国師《だいとうこくし》と言う。鎌倉時代、大徳寺開山の名僧で、特にその書は茶室の掛物としては超一級品として茶人や収集家垂涎の逸品だ。身ぐるみ剝がれる前はどこにあったのかを訊ねてみると、益田家旧蔵だという。あの三井財閥の総帥、益田鈍翁《どんのう》だ。これもまた由緒としては申し分がない。ではなぜ贋物の身に転落してしまったのだろう。話を聞くと、事の顚末はこうだった。

田山方南《ほうなん》という大先生がいた。明治36年の生まれで昭和4年文部省に入り、国宝鑑査官、主任文化財調査官などを歴任。特に中国、日本の禅僧の墨蹟研究では第一人者だった。『禅林墨蹟』全3巻は大著で、墨蹟研究の基礎資料として尊重されている。この大先生が、この墨蹟は通らないと判断されたのだ。通らないとは私の眼を通らないという意味で、贋物という意味だ。益田鈍翁が他界した後、収集した古美術品の多くはこの古美術店の初代に託された。その際に鈍翁コレクションの墨蹟が田山方南先生により調査されたという。それではなぜ贋物の判断が下されたのか。なぜならこの軸は同様の物が二幅存在したからだ。一幅は香雪美術館所蔵の「法語《ほうご》与道刃禅尼《どうにんぜんにあたう》」だ。田山先生としてはどちらかが本物で、片方はその写しであると思うのは当然である。判定は香雪美術館の側に軍配が上がったのだ。香雪本は伝来が奈良の茶人松屋とはっきりしている点も考慮されたであろう。こうして鈍翁の1点は身ぐるみ剝がしの刑に処され、私の眼の前にあったのだ。私はその書を穴の開くまで見続けた。私は多くの贋物を見てきた。それは人であったり物であったりする。怪しい人が怪しい物を持ち込むのだ。この書の場合、どこも怪しい気配がない、堂々として立派だ。普通写しの場合には本紙を横に見て、恐る恐る書体を真似るので運筆が遅く勢いがなくなる。また贋物作者の作には、騙そうという卑しさが書に見えてくる。それらが一切感じられない。古美術業界では贋物を本物として売ることもある。その場合には怪しい値段になる。また骨董商が贋物を見抜けず本物として売られる場合もある。これは骨董屋のみならず学者大先生の場合もある。私は国宝指定品の中にも怪しいものがあるのを知っている。重要文化財に指定された「永仁の壺」が、加藤唐九郎が「私が作りました」と名乗りを上げた為、指定解除になった「永仁の壺事件」は世を騒がせた。しかし本物を贋物とすることは、より罪が重いと私は感じる。私は空中戦を申し込んだ。私の「海景」との交換だ。ちょうど本物と偽物の中間、グレーゾーンの領域での取引ということになる。私はこの墨蹟の名誉回復を誓った。先ずは、裸にされてしまった本紙に、私の意匠で美しい衣装を着せてあげることだ。それも意表を突いた。

表具に仕上がってみると見栄えは格段に上がった。表具裂の上下には江戸時代、武士が使った

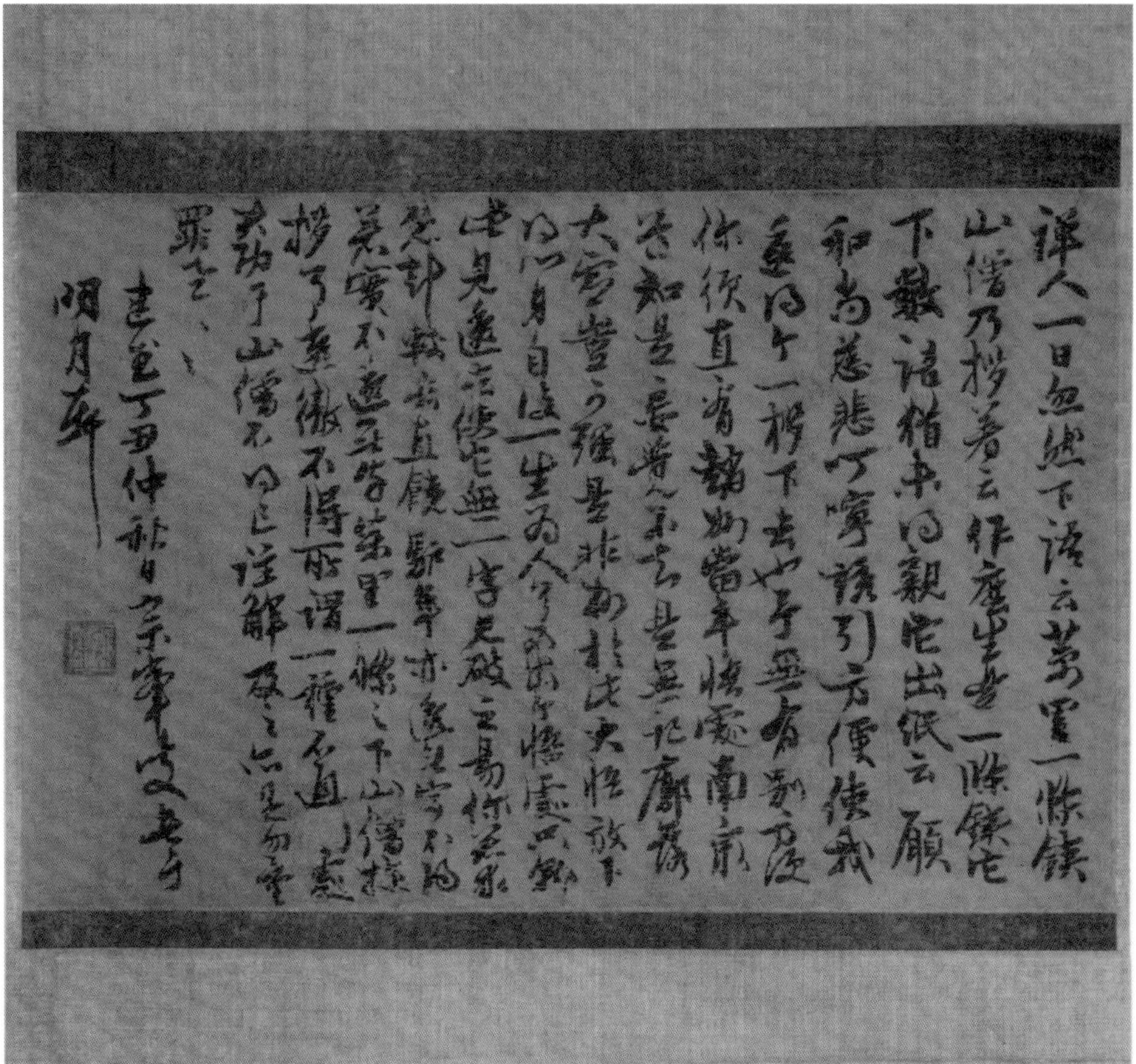

大燈国師墨蹟

雨合羽古裂を使った。麻に漆が防水用に塗られている。長年の使用で漆が擦れていい味になっているのだ。私は来る日も来る日も、この軸を床に掛けて眺め暮らした。骨董は眺め続けなければならない。良い物は日々良くなってゆく。始めは良いと思えた物も、次第に色あせてゆく物もある。この軸は毎日に発見があり、私の確信は揺るぎなさに裏打ちされていった。ある日私は意を決して田山方南著、『禅林墨蹟』を購入することにした。古本で60万だ。持てないほど重い本の頁をめくっていくと、あの香雪美術館所蔵の一幅の頁に巡り当たった。私はこの二幅を詳しく比較できることになった。それに田山方南先生の読み下し文も解説頁に載せられていた。この書は建武4年（1337）に書かれたものだ。この年の12月22日に大燈国師は示寂《じじゃく》しているので、その4ヶ月ほど前に道刃《どうにん》禅尼に与えた法語である。私なりに読み解いてみる。

この尼さんは長い間趙州《じょうしゅう》和尚の「無」の公案に取り組んでいたが、ある日「万里一条の鉄」と答えた。大燈が反問すると、すぐに悟っていないことが見透かされてしまった。そこでこの尼さんは紙を差し出し、お慈悲を以て導いて欲しいと懇願されたので、この法語を書いたとある。大燈は唐代の名僧南泉《なんせん》の「知は是れ妄覚、不知は是れ無記、廓せば大虚に落ちん」との語で趙州が悟れたという逸話を書いて与えたという。知識は妄で不知が無、大虚とは虚空のことでそこに落ちることが悟りのことらしい。

私はこの香雪本と益田本を比べてみた。書体はほぼ同じで同一人物の手になるものであることは間違いない。もし贋物なら一字一句同じにする筈だが改行の位置までが違う。それに香雪本は書き出しが異なっている。香雪本の始まりは「道刃禅尼、趙州の無字を提撕《ていぜい》すること日に久し。

一日忽然として下語して云く」。片や益田本は「禅人一日忽然として下語して云く」と簡略化している。

ここで私は結論に達した。益田本の方はこの尼さんに与えた方だ。何より落款がある。香雪本の方は自分の為に内容を控えておいたものだ、その為に書き始めにこの依頼主が誰であったかを書いておいたのだ。この方は落款を押す必要は無い。どちらも大燈国師真筆間違いなしと、私の知見は私に呟いた。

この大燈国師墨蹟、真贋問題を解決して、久しぶりに筆をとってみると、心なしか私の書は上達しているように思えた。穴の開くまで大燈国師を見つめた結果、穴の向こうへと突き抜けたような感覚だ。一皮剝けた私は、もう一皮を目指して、強化合宿プログラムを組んでみた。大著『禅林墨蹟』掲載の数百点の墨蹟から、私の好きな墨蹟30点ほどを厳選し臨書に挑むことにした。臨書とは名手の墨蹟を真似て書いてみることを指す。まずは大燈国師墨蹟「徹翁《てっとう》」。京都徳禅寺蔵だ。国師が弟子に徹翁という号を与えたもので、最晩年の書で、心なしか筆圧が弱い。しかし墨色濃く、枯淡の中に迫力がある。私は手本を右に置き、心を鎮め、臨書に挑んだ。コロナ蟄居期間中の1年間、早朝、人の目覚めぬ暁に、私は鎌倉、南北朝、室町時代に魂を遊ばせた。1年後に計画されている、江之浦測候所への奈良春日大社御《み》霊分《たまわ》けの為に、「春日大明神」の名号を写した。その他、一休宗純《そうじゅん》墨蹟「不識」。蘭渓道隆《らんけいどうりゅう》墨蹟「法相」。無《む》学祖《がくそ》元《げん》墨蹟「如来」。虎関《こかん》師錬《しれん》墨蹟「花」。相阿弥墨蹟「安心」。兀庵《ごったん》普寧墨蹟「欠伸」。後水尾天皇宸翰《しんかん》「忍」。次から次へと、名筆の姿を私の心へ、そして心から筆へと映す鍛錬に励んだ。

書きあがった書に表装を施す作業も楽しい。私にとってそれは抽象画を描くような作業だ。古今の裂の取り合わせ。百年以上を経過した裂には明らかに時間経過の痕跡が残る。特に明治期に化学染料が紹介される前の染色は、全て自然の染料で染められ、美しく褪めていく。幾多の名筆をなぞって1年ほど経った頃、私の書にも私なりの私らしさが感じられるようになった気がしていた。ちょうどその頃、大河の題字を依頼されることになったのだ。日頃の精進は大事なのだと思うこの頃だ。

これは余談だが、大河ドラマでの渋沢栄一の話が明治期に入る頃、NHKより出演依頼があった。南北戦争の名将軍、グラント将軍が、飛鳥山の渋沢邸を訪問するという場面で、床飾の壺を持ち込む骨董屋というのが私の役だ。せりふも短いがある。そういえば私はフランス映画に出演したこともある。名女優イザベル・ユペール主演の映画で、日本語タイトルは「私の最悪の悪夢」と私が訳した。女性美術館館長はインテリで現代美術館を仕切っている、ところが彼女がマッチョの労働者に恋をするという、フランス好みのブラックユーモアだ。そして映画の重要なモチーフに杉本作品の「劇場」が度々登場するのだ。私は人気の現代美術作家として、館長宅のディナーに招待されるという場面でスピーチをする役だ。なんと私は杉本博司役を演じたのだ。そろそろ私の職種に役者も付け加えることにしよう。

空間感

建築設計事務所「新素材研究所」が始まって13年の歳月が流れた。これを記念して初の建築本を出版することになった。タイトルは「Old Is New」。最も古いものが最も新しい、という逆説建築家集団としての作例をまとめたものだ。その冒頭の挨拶をここに転載する。

私は私の職業が何かと問われると、相手が理解しやすい職種を選んで言うことにしている。パリ・オペラ座の人たちにとって、私は演出家であり舞台美術家でもある。日本の古典芸能である文楽の人々にとって、私は杉本文楽を主宰する座主である。サンフランシスコ・トレジャーアイランド再開発プロジェクトチームにとって、私は巨大な数理模型を作る彫刻家である。奈良の国立博物館の先生にとって、私は日本の古代から中世にかけての仏教美術収集家である。私の料理本を編集した「婦人画報」にとって、私は料理研究家である。東京の写真美術館リニューアルオープン展を任された私は写真家らしい。しかし私は自分が写真家だと思ったことはない。なぜなら私はカメラを首からさげて街を徘徊したことがないからだ。振り返ってみると、私は何かの職業に就こうと思ったことが1回だけあった。それは1974年にニューヨークに住み始めたときだった。ドナルド・ジャッドのベニヤの箱が無数に壁に掛かった展覧会を見てからだ。私はその時この世界で生きようと決心した。

私の職種は私が決めるのではない、私に接する人が私の職種を決める。一々面倒なので肩書きは最大公約数的に現代美術作家ということにしているが違和感は残る。どうやら私はどの職種にとってもプロフェッショナルではないようだ。それよりもプロにならないことによってのみ見えてくる地平から、物事を見てみたいという野望が私にはある。しかしそれは百戦錬磨のプロから見れば素人の片手間仕事と見えるだろう。私はそう見えないような工作を仕掛ける。それは私の批評精神の賜物なのだろう。

これも私の嫌いな言葉なのだが、どうやら私は総合芸術とやらを標榜しているようだ。と思った瞬間、いや違うと内なる声が聞こえる。むしろ分散芸術の各メニューが居酒屋の壁にぶら下がっている、といった感じだろうか。冷奴もあれば、モツ煮もあるし焼き鳥もある。皆美味しく作られている。舞台、建築、彫刻、写真、料理、書。全てに共通して流れる私の通奏低音とは何だろうかと今になってふと思う。そしてそれは私の体内に流れる「空間感」なのではないかと思うようになった。「空間感」とはバランスの感覚だ。平面も立体も、音の強弱も、色の濃淡も、料理の味付けも、すべてこれでなければ「いやだ」という強い意志と意識を私は持っているようだ。そしてそのバランスをとる一点がある。その点は針の先のようで、1ミリたりとも外せば瞬く間に崩れ落ちる、そんな点だ。

私は写真家としての修行時代が長かった。私の使う木製大型カメラは暗箱と言われる。構図を決めるには大きな黒布を被って25×20センチの磨りガラスに投影される倒立像のバランスを見る。私は世界を逆立ちしながら見る、という特殊技術に長けてしまった。構図に続いて次は露出だ。私の写真はモノクロームだ。私の眼は瞬時に世界から色を消し去り、世界をモノクロームの世界として見る修行を積んできた。そして美しい陽画を作るには美しい陰画を作らねばならない。私は世界を一瞬にして陰画のトーンのバランスとして見る「勘」を、長い鍛錬の末に得ることができた。私にとっての写真制作は、世界を倒立像としてネガティブに見て、その内なる絶妙なバランスを見出すという術なのだ。

建築と写真が表裏一体となるような仕事があった。熱海にあるＭＯＡ美術館全面改装の仕事だ。ＭＯＡ美術館は私の骨董商時代の顧客でもある。長いお付き合いだ。設立者の岡田茂吉翁は古美術の名品を収集し、一部の有産階級によって独占的に所有される美術品を一般庶民にも開放することを目的として美術館を設立した。個人美術館のはしりだ。現館長の内田篤呉《とくご》氏は私の過激とも思われる提案をよく理解して下さり、前例のない仕様のための実験に費用と労力を割いていただいた。私が目指した実験の第一点は、ガラスケースの中の美術品が、あたかもガラスなしに眼の前にそこにあるように見せることだった。その為には展示室中央に黒い壁を立てる必要がある。贅沢にも空間の片側だけにしか展示せず、片側は暗くして反射を消すというアイデアだ。ガラスの映り込みは光るものが映るので、黒壁は映らないのだ。しかしただの黒ペンキでは男がすたる。

ここは黒漆喰の巨大塗り回し壁面とした。前人未到の境地だ。次に取り組んだのは免震装置だ。巨大地震に備えて美術品はガラスケースの中の免震台に乗せなければならない。私は畳が免震台になるという夢を見た。ふつう免震台は無骨で機械然としている。その上に置かれた美術品は興醒めだ。私はその道の第一人者、コクヨの山内さんと実験を重ねた。そして機械部分を床下になんとか隠して、見える部分は3センチの厚みで、あたかも畳が置いてあるような免震台がついに完成した。しかし思わぬ反対勢力が現れたのだ。それは「東文研」だった。正式には国立文化財機構 東京文化財研究所だ。国宝、重文などの展示について指導を行う行政機関だ。畳仕様の免震台を申請したところ却下となった。理由は畳の素材イグサからガスが出るというのだ。私は愕然とした。今まで日本人は美術品を畳の上で鑑賞してきた、それがいかんということは日本文化の全否定となる、と私は息巻いたが、埒があかない。近年の飛躍的な観測装置の高度化がこの結果を導いたのだという。私は「知らぬがほとけ」だったのだと思った。それにケース内をペンキや壁紙ではなく白漆喰で仕上げる提案も却下されてしまった。やはりガスが出ると言うのだ。古寺の床は漆喰と畳と決まっているのに。今や美術品は無菌室のような環境でしか見せることができないのだ。畳に関して私はリベンジを果たした。紙を編んで畳に見せる、そっくりさんを見つけて採用したのだ。

話が本筋をそれてしまった。建築と写真の話だ。この美術館の改装計画設計中に、改装の為の休館前最後の展覧会が企画された。尾形光琳300年忌記念展だ。私はこの展覧会の為に、何か現代作家として光琳に触発された作品を制作してくれないかという依頼を受けた。このかなりの無理難題にどのように立ち向かうべきか。お手上げでは現代美術家の面子が潰れる。そこで考えたのが光琳の国宝「紅白梅図屛風」を換骨奪胎することだ。幸いなことにこの国宝はＭＯＡ美術館所蔵だ。この色鮮やかな紅白梅図を満月の月光の下で見てみたらどのような景色になるだろうと夢想したのだ。私はこの彩色画を私のモノクローム、ネガティブ転換幻視眼にかけて幻視をしてみた。すると見えてきたのは鈍いプラチナの光に反射して、月光が光琳の描く水流の上に照り返る姿だった。白梅は薄白く、紅梅は薄グレーに月光を浴びていた。この場合、銀ではなくプラチナでなくてはならなかった。普通のモノクローム写真は銀塩写真と呼ばれる。銀の濃淡で階調を表現する。それに対して19世紀に発明されたプラチナプリントがある。感度は極めて低いが銀塩以上に鈍い独特の深い階調に満ち溢れている。私はこの古式技法を使えば、光琳の夜景は成功するのではないかと予測した。しかしプラチナプリントには一つ欠点があった。それは引き伸ばしができないことだ。密着焼きでは小さなプリントしかできないのだ。私は原寸大にこだわった。幸いなことに最新のデジタル技術がこの問題を解決できることがわかった。引き伸ばしの焼き付けをデジタルで行い、プラチナを塗布した紙に焼き付けて現像液で現像する。作品は19世紀と同じ仕上げとなるのだ。私はこの国宝を世界最高峰の画素数を誇るデジタルカメラで撮影した。この技術開発にはアマナの久保元幸さんに協力をお願いした。撮影後の処理も大変だ。屛風と同じサイズの紙にプラチナを刷毛で均一に塗るのは至難の技だ。現像を巨大なトレイでムラなく処理するのもうまくいくほうがおかしい程だ。試行錯誤は1年以上続き、ついに満足のいくプリントが完成した。さらに屛風に仕立てるのには私の表具師、目黒黄鶴堂の目黒さんが半年を費やした。

私は仕上がりに満足した。国宝「紅白梅図屛風」に負けず劣らずの勝負ができたような気がする。

足掛け2年を要した美術館改装は完成し、自身の設計した空間の中に、自身の作品を据えるという、願ってもない機会が与えられた。絵の中の二次元空間が、その絵が置かれる三次元空間と呼応し、さらに光琳の没後300年という時空間が加わり、私は自身の空間感の中に彷徨い込んで、帰る道を見失いそうだ。おそらく死とはそのような時に訪れるのだろう。

杉本博司　月下紅白梅図屛風

私の人工衛星

私の思い出話もこの辺りでお開きにしたいと思う。ついては最近の私の心境を、自分のためにも書き留めておきたいと思うのだ。記憶は日々かすみ、うすれゆくのが意識される今日この頃、ついにはその意識すら消え去るだろう。若い頃にはいろいろ悩んだ。いったいこの世界は何なのだ。自分はなぜこんなところに放り出されたのだろう。「朝《あした》に道を聞けば、夕べに死すとも可なり」が心に響いた。今はそんな性急さはなくなってしまった。若い頃は急いでいた、早く知りたい、早く解きたいと。今は急ぐ必要もなくなった。どうせあちら様が急いでやってくる。今、時間は昔よりゆったりと流れるようになった。

思えば、私は写真を使って人間の時間意識を探求の対象にしてきた。そこから出発して化石の収集にも乗り出した。なぜなら化石は写真と同じ、時間の記録装置だからだ。私は化石を「前写真時間記録装置」と呼んだことがある。写真はその発明から280年程で、その証拠能力を喪失してしまった。写真に写ったことは本当にあったことだった。今、デジタルで処理される画像に信憑性は無い。警察が証拠写真を突きつけて犯人が自供する、という場面がよくあったのは、歴史上150年程だけだった。写真が証拠能力を失ったおかげで、世界から「真実」そのものが消えてしまったようだ。世界はバーチャルへと溶けてしまった。後期資本主義というか、末期資本主義というか、紙幣はいくらでも刷れて社会が崩壊もしない、ビットコインが電脳空間を駆け巡るバーチャル世界に、私は最後の写真家として、存在の証拠の痕跡だけでも残せたらと思う。

短かった写真の歴史に比べれば、化石には5億年程の時間が封じ込められている。海中で生命が芽生えたカンブリア爆発と呼ばれる時間軸。私は多くの三葉虫化石を集めた。やがてデボン紀の4億年前には、いかの先祖も登場し化石になっている。私の命もこの海底生命からの生命発生系統樹の一端に連なっているはずだ。いかの刺身がうまいと思えるのもそのせいだ。そのほか、3億年前の石炭紀のウミユリの畳1畳程の大きさの化石。2億年前、三畳紀のケイチョウザウルスの化石、1億年前、白亜紀の親子の亀の化石、始新世、5000万年前のトンボの化石などなど。それらの化石は今、江之浦測候所の化石小屋に集められ、生命進化史5億年が煮こごりのようになって展示されている。

化石の時間が5億年なら、隕石の時間軸は太陽系の時間だ。私の興味は隕石収集へと移っていった。アフリカのナミビアで発見されたギベオン隕石は、重さ10キロ程もある。これだけの流れ星の燃え残りが落ちた時のインパクトは凄まじかっただろう。チリのアタカマ砂漠で発見されたイミラック隕石は美しい。隕石は2ミリ程のスライス状に切ってある。その中にはカンラン石と呼ばれる、オリーブ色の透明な石がちりばめられている。まるで宝石のようだ。このような石は地球上では生成しない。無重力の宇宙空間の中で数百万年をかけて生成されるのだ。私は隕石を集め続け、ついに月の石3種も入手した。月には多くのクレーターがある。太陽系創生の頃のある時期、月の表面には多くの小惑星が衝突し、クレーターを作った。その時に月の岩石は地球と月の間の空間に衝撃で吹き飛ばされ、小衛星として地球の周りを回り始め、時折地球の引力圏に引き込まれて、隕石となって地表に降ってくるのだ。地球にも月のようなクレーターはたくさんあった。しかし大気の循環と海の潮の満ち引きによって今は削られてしまったのだ。

ギベオン隕石は隕鉄とも呼ばれる。ほとんどの成分が鉄だが、その中に微量の鉛が含まれている。1950年代に放射年代測定法が急速に進化し、ビッグバン理論による太陽系の時間軸が解明されたのだ。太陽系ができた当初から存在していたと思われる小惑星には原始の鉛が存在し、その同位体の比率を測定することによって、地球ができた時の年代を測定できたと思われたのだ。この計測に使われたのがアリゾナで発見された隕鉄だった。計測の結果、地球の年齢は45億年だった。

私が次に向かった年代測定は人類だった。「猿が人間になるについての労働の役割」というエンゲルスの論考は若い私に衝撃を与えた。19世紀の人々に最も影響力を持った論考はダーウィンの「進化論」とマルクスの『資本論』だと私は思う。そのマルクスの盟友エンゲルスによって書かれた論考は、進化論の意を汲んで、労働という概念を共産主義社会実現のために考察したものだ。人は道具を作り、共同で労働することで、言語を発明し社会を形成した、労働こそが猿を人間に進化させ、原始共同社会が形成され、資本主義へと進化したという概要だ。猿が人間に進化したという論に対して、宗教界に激震が走った。私は今でもその余波はさざ波のように人間界の岸辺に打ち寄せていると思う。人間は霊的な存在だ。それでは意識とはなんだろう。私の考察は意識と霊の間を彷徨い続けているような気がする。考古学や文化人類学の科学的な知見では、人類は20万年前に生まれたとされている（「愛の起源」、『苔のむすまで』新潮社）。その20万年の間に氷河期が数回あった。アフリカで誕生した人の遠い祖先は、寒冷期の間に氷結して低くなった陸地をつたって、アメリカ大陸やオーストラリアにまで進出した。日本には最後の氷河期で列島が大陸と繋がっていた頃の2万年程前にやってきたようだ。1万5000年前の縄文遺跡から石器が発掘されている。こうした中で約1万年程前に農耕が始まり、古代オリエント文明が始まる。その後メソポタミアにも文明が起こり、5000年前には楔形文字も使われはじめた。その頃エジプトにもピラミッドが作られる。その後現代までは一足跳びだ。

私はケイチョウザウルスの化石を見るたびに思うのだ。恐竜は絶滅したのだと。6600万年前、小惑星が現在のユカタン半島、メキシコ湾に衝突、津波は高さ1500メートル。ほとんどの生命種は瞬時に焼け死ぬか、溺れるか、それとも地表を厚く覆ったガスにより、何十年、何百年と地上に日が差さなくなり、極寒の地表で消えていったのだ。今でもこんなことが起きないとも限らない。世界中の天文台は地球軌道に近づく小惑星をマークし続けている。その結果、今の所200年は大丈夫ということになっているが、保証はたったの200年だ。しかし最近は不測の事態や想定外は聞き飽きた感がする。

最近化石について面白い事実を知った。考古学者のスクラットンが3億5000万年前の珊瑚の化石を調べたところ1年に385本の筋が刻まれていた。珊瑚の表面には潮の満ち引きが文様となって一年に日の数だけ筋が刻まれる。もちろん今の珊瑚には365本の線が刻まれる。つまり3億5000万年前の地球は1年が385日だったのだ。同様のデータから逆算すると9億年前、1日は20時間程だった。将来に目を向けると、1日の長さは1年に0・00017秒ずつ長くなっている。天文学者の計算によると500億年後、1日はいまの45日となるらしい。月は地球から遠ざかり、潮の満ち引きも途絶える。さらにその先、赤色巨星となった太陽は地球を飲み込み焼き尽くす。これが科学的観測による未来の真実だ。

どうしてこの地球にだけ大気と水が安定して存在し、そこから生命が発生したかは謎だ。われわれ人類はその生命進化の最前線を走っているらしい。しかし心配することはない。太陽系創生の時間軸の中で、生命は始まり、やがてその終わりが来るのは確実なのだ。太陽系が生まれて45億年という時間を1年に例えると、人類の文明時代1万年は、除夜の鐘がなる頃だ。人類が近代に入り環境破壊を始めたこの100年は地球史上、瞬間にすぎない。大きな時間軸の流れの中では地球環境は次の氷河期に向かっているらしい。私は再び鴨長明の『方丈記』を思い浮かべる。

「ゆく河の流れは絶えずして、しかももとの水にあらず。淀みに浮かぶうたかたは、かつ消えかつ結びて、久しくとどまりたるためしなし」

我々の文明も悠久の時間軸の中で、淀みに浮かぶうたかただ。メソポタミアもエジプトもギリシャも、結んでは消えていった。私は人生の最後の仕事を遺作と思いおき、江之浦測候所の仕事を続けている。そんなある日、思いもかけない仕事が託された。ソニー、宇宙航空研究開発機構(JAXA)、東京大学の三者が共同で人工衛星を打ち上げるという。その人工衛星をアーティストに使ってもらおう、その最初のアーティストになってもらいたいという要請だ。そのために宇宙で撮影できるよう、衛星にソニー製カメラを搭載してくれるという。私は宇宙から何を撮影したいかを問われ、即座に、「月の海」を撮りたいと答えた。特に三島由紀夫の遺作『豊饒の海』を。豊饒の海には水がない、生きものの痕跡もない。あれほど豊饒だった地球の海も、いつかはこうなるのだろうかと思う。それが三島由紀夫のメッセージのようにも聞こえる。私の作品「海景」の終着点としてふさわしい気がしたのだ。

私のオファーに対する答えは色よいものではなかった。月の周回軌道に人工衛星を乗せるには費用がかかりすぎる。まずは地球周回軌道で実験してほしいということだった。どうやら私の余生で月には行けないらしい。私は地球周回軌道で合意した。その際希望として、作品制作のために衛星をコントロールする地上基地を私の遺作、江之浦測候所に置いてほしいとお願いした。どうやらその希望は叶うらしい。

瓢箪から駒、と言うのだろうか。私の衛星はもうすぐ独楽のように回転を始める。わたしの衛星は地上500キロの、宇宙とこの世の境界を彷徨うことになる。地上500キロは、地球をりんごとすると、そのりんごの皮の上を撫でているような舐めているような感覚だ。私はこの私の人工衛星の仕事に「科学から空想へ」というタイトルを付けた。有名なエンゲルスの『空想から科学へ』を逆転したものだ。19世紀、マルクスとエンゲルスは資本主義の末路を予言した。夢のような共産主義社会が多くの人によって幻視された。エンゲルスは社会科学としての共産主義思想が成り立つことをこの本で説き、夢想家に啓示を与えたのだ。１００年をかけた共産主義は失敗に終わった。どんな夢のような理論も、一度権力を得ると、人という指導者は豹変するものなのだ。皮肉なことに共産主義の夢が破れた後に、マルクスの予言した資本主義の破綻が近づいている。私は科学による現象界の分析が進み、人間の能力をも凌駕するＡＩが現れ、さらに人間のＤＮＡ解析も終わり、デザインベイビーが生まれてくるという、恐ろしい近未来が待つ今、科学よりも空想に軸足を移すべきではないかと思うのだ。そもそも科学は人間の空想を実証するという試みから始まったのだから。

最後にわたしはニュートンの高名な警句を記して、私の履歴書を終わりたいと思う。

「わたしは海辺で遊んでいる少年のようである。ときおり、普通のものよりなめらかな小石や可愛い貝殻を見つけて夢中になっている。真理の大海は、すべてが未発見のまま、目の前に広がっているというのに」

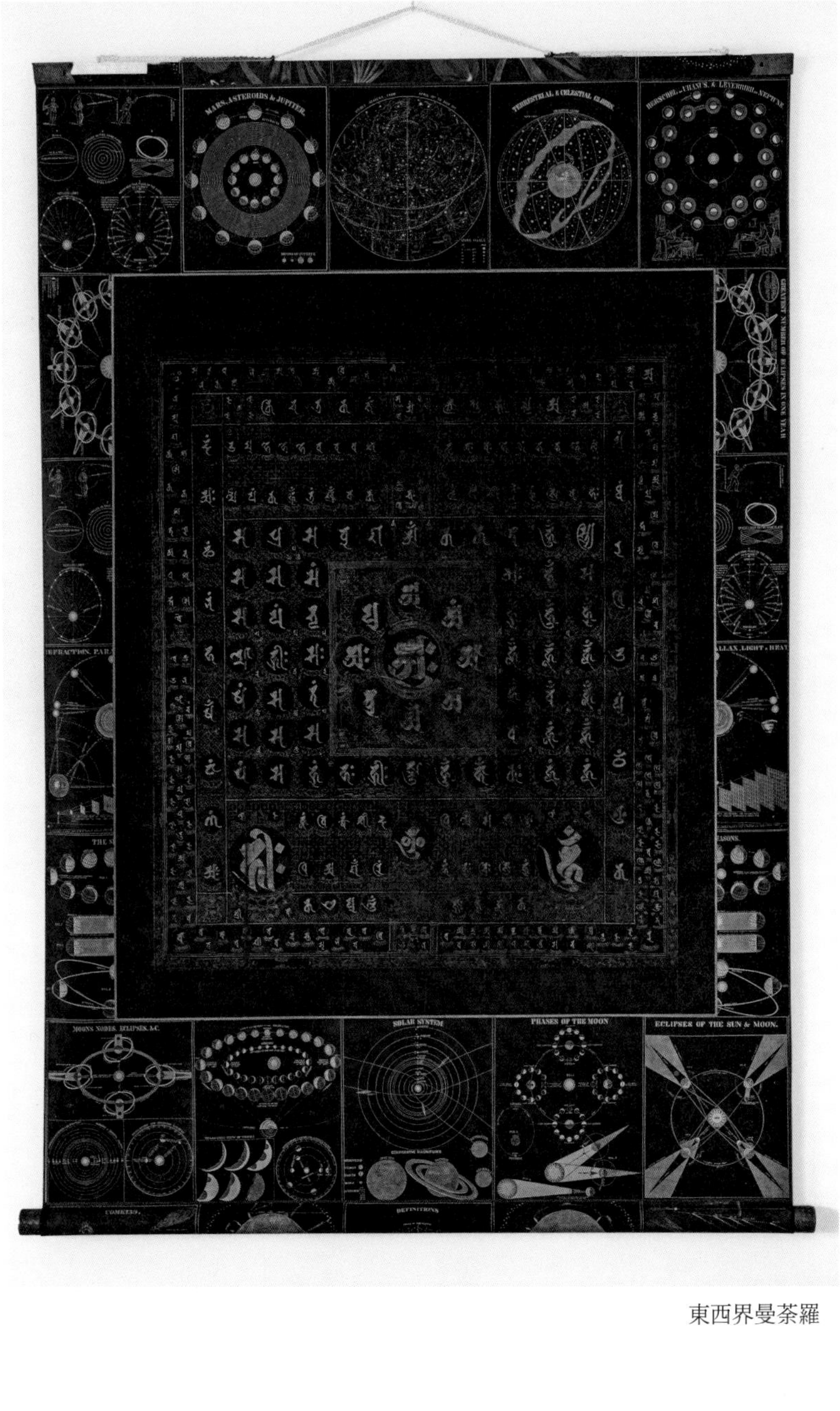
MARS, ASTEROIDS & JUPITER.
TERRESTRIAL & CELESTIAL GLOBES.
GREATEST NUMBER OF ECLIPSES IN ONE YEAR
MOONS NODES, ECLIPSES, &C.
SOLAR SYSTEM
PHASES OF THE MOON
ECLIPSES OF THE SUN & MOON.
DEFINITIONS

東西界曼荼羅

あとがき

本書は令和2年7月、日本経済新聞紙上に30回にわたり連載された「私の履歴書」を下敷きにして、大幅に加筆したものである。新聞連載という紙面の都合上、一回１３００字という限られた字数の内に1話を結び、老境に達した今までの人生を30話にまとめるという仕事は、面白くもあり、難しくもあった。何を書くかよりも何を削るかに苦心した。人生には裏もあれば表もある。書けることと書けないことの、どちらが面白いかというと、書けないことの方が面白いに決まっている。しかし全国紙という紙面に披瀝する物語は品行方正でなければならない。私はそのジレンマの板挟みに陥り、七転八倒の喜びを味わった。そもそもアーティストになろうという輩に品行方正を求めるのは無理がある。水と油、月とスッポン、猫に小判程の隔たりがある。私の人生は波乱万丈だったと自分でも思う。危ない橋も、危ないと知りつつ渡ってきた。橋が落ちたり崩れたり、私は運が良かった。運気というものがあるらしい。海景の撮影の時に特にその気配を感じた。私はいつも雲の流れ行く先を見つめながら風を感じ、夜明け前の光りの予兆を占い、自身のいるべき場所を察知した。私は何かに導かれているとは思ってもいなかった。しかし今振り返ってみると、そこには何かがあったように思う。

新聞連載という足枷を外してみると、自由になったかというとそうではない。私は私の一生を自伝的私小説にしようかとも考えた。三島由紀夫の『仮面の告白』に倣って。しかし私の心の内には真心と蛇心が表裏一体となっていて、解読が難しい。私は私の心を病理解剖して面白いお話として書くことは諦めることにした。病巣にはメスを入れず、温存治療することにした。曰く言い難いものがある、それはアートとしてしか表現し得ない。だから私はアーティストになろうと思ったのだ。曰く言い難いもの、それはあるかなきかの心に宿る。この本のタイトルはお察しのように、平安時代の『蜻蛉日記』を読み替えて『影老日記』とした。私は千年もの時空をワープしたいと思う。『蜻蛉日記』の名は日記の文中にある「なほものはかなきを思へば　あるかなきかの心ちする　かげろふの日記といふべし」から取られている。かげろうは体全体が半透明のようで、透き通るような翅を持つ小さな昆虫だ。そして昆虫の進化史の中では初めて翅を持ち、空中浮遊の自由を持った昆虫だという。私の心は子供の頃からふわふわと空中浮遊していた。精神病理学的には離人症と言われるらしい。しかし私はこの私の病を愛してきた。アートとはある種の病なのだ。

『蜻蛉日記』には多くの和歌が採られている。作者は歌の名手、歌による日記が綴られている。蜻蛉は儚さの象徴でもある。千年もの時を越えて、その儚さの感覚が私の心と響き合うのは不思議なことだと思う、その中から一首を選んでみた。

くもりよの　月とわが身のゆくすゑの　おぼつかなさは　いづれまされり

藤原道綱母の一首に感じ入り返歌を詠むここちして（筆者自詠）

まされりと　おもふこころの月あかり　影から影へ　いつやかくれん

この歌であとがきも終わり、校了感に浸っていた矢先。不穏な動きが私の身に降りかかってきた。中国の話だ。私の書籍の多くは中国語訳されて広く中国でも読まれている。その部数は日本国内を上回る程だ。そのうちの一冊、『現な像』（２００８年　新潮社）を表紙を変えて新装版として再出版したいとの申し出だった。この本は民営の「北京理想国時代文化」という出版社から刊行予定なのだが、その内容については、民営の会社は国営の出版社と提携して審査を受けなければならないという。そこで国営の「北京日報出版社」と提携して審査を受けたところ、全12章のうち最後の2章「鬼畜の言説」と「永久戦犯」が削除の決定を受けたというのだ。これは我が国の戦前の検閲と同じだ。私はうろたえた。彼の国には言論の自由はないのだ。この2章は私が戦前の日本人の心理を読み解こうとした評論で、「鬼畜の言説」については本書142ページ「苔のむすまで」の章を参照されたい。後者は満州国建国の立役者、板垣征四郎大将が、死を覚悟して巣鴨プリズンで書いた長文の漢詩を読み解くもので、中国官憲の逆鱗に触れたのだろう。私は突然時代錯誤の闇に突き落とされた気持ちだ。

最後に日本経済新聞社の窪田直子さん、本書の編集者、前田誠一さん、「新潮」編集長矢野優さん、「芸術新潮」田中樹里さん、小田原文化財団の稲益智恵子さん、杉本スタジオの當眞未季さん、世話係の小柳敦子に謝辞を捧げます。

杉本博司

令和3年秋

初出一覧

「記憶の始まり」　日本経済新聞　2020年7月1日　私の履歴書①を増補
「父　三遊亭歌幸」　同右　2020年7月2日　私の履歴書②「父の影響」を改題・増補
「母」　同右　2020年7月3日　私の履歴書③「母の驚愕」を改題・増補
「先祖の菅野白華」　同右　2020年7月4日　私の履歴書④を増補
「とんがり幼稚園」　同右　2020年7月5日　私の履歴書⑤を増補
「日光写真」　同右　2020年7月6日　私の履歴書⑥「西巣鴨小学校」を改題・増補
「立教中学」　同右　2020年7月7日　私の履歴書⑦を増補
「唯物史観」　同右　2020年7月8日　私の履歴書⑧「立教高校・大学」を改題・増補
「放浪の旅」　同右　2020年7月9日　私の履歴書⑨を増補
「現代美術への道」　同右　2020年7月10日　私の履歴書⑩「現代美術の道へ」を改題・増補

「ジオラマ」　日本経済新聞　2020年7月11日　私の履歴書⑪を増補

「ニューヨークの日本人」　同右　2020年7月12日　私の履歴書⑫「NYの日本人」を改題・増補

「MoMA　作品購入」　同右　2020年7月14日　私の履歴書⑬「初売り決定」を改題・増補

「劇場」　同右　2020年7月15日　私の履歴書⑭「『劇場』シリーズ」を改題・増補

「結婚」　同右　2020年7月16日　私の履歴書⑮を増補

「南画廊」　同右　2020年7月17日　私の履歴書⑯を増補

「古美術開眼」　同右　2020年7月18日　私の履歴書⑰「骨董に開眼」を改題・増補

「海景」　同右　2020年7月19日　私の履歴書⑱を増補

「イリアナ・ソナベント」　同右　2020年7月20日　私の履歴書⑲「賞金稼ぎ引退」を改題・増補

「佐賀町エキジビット・スペース」　同右　2020年7月21日　私の履歴書⑳「佐賀町で展覧会」を改題・増補

「9・11」　同右　2020年7月22日　私の履歴書㉑を増補

「スタジオを自作」　書き下ろし

「護王神社再建」　日本経済新聞　2020年7月23日　私の履歴書㉒「直島の護王神社」を改題・増補

「苔のむすまで」　同右　2020年7月24日　私の履歴書㉓「文筆業」を改題・増補

「新素材研究所」　日本経済新聞　２０２０年7月25日　私の履歴書㉔を増補

「ワインとアート」　書き下ろし

「パレ・ド・トーキョー」　日本経済新聞　２０２０年7月26日　私の履歴書㉕「戦争の遺物収集」を改題・増補

「杉本文楽」　同右　２０２０年7月27日　私の履歴書㉖「曽根崎心中」を改題・増補

「料理人になる」　書き下ろし

「能　巣鴨塚」　日本経済新聞　２０２０年7月28日　私の履歴書㉗「巣鴨塚」を改題・増補

「江之浦測候所」　同右　２０２０年7月29日　私の履歴書㉘を増補

「ヴェルサイユ宮殿」　同右　２０２０年7月30日　私の履歴書㉙「ベルサイユ宮殿」を改題・増補

「パリ オペラ・ガルニエ公演」　同右　２０２０年7月31日　私の履歴書㉚「オペラ座公演」を改題・増補

「書家になる」　書き下ろし

「空間感」　書き下ろし

「私の人工衛星」　書き下ろし

写真

（数字は掲載頁）

杉本博司　11, 61, 66, 80, 87, 109, 113, 125, 203, 228-229

杉本スタジオ　57, 83, 105, 139, 145, 149, 153, 163, 166, 171, 184, 199, 217, 237

森山雅智（「婦人画報」掲載）　181, 213

小野祐次（「婦人画報」掲載）　206

鈴木心　195

小池一子氏提供　116

高砂市教育委員会提供　25

「毎日グラフ」119

新潮社写真部　174, 188

カバー写真

表：正倉院伝来裂　緑地襷魚鳥文臈纈《ろうけち》絁
　　　　　　　　　写真：杉本スタジオ

裏：法隆寺伝来裂　獅子狩文
　　　　　　　　　写真：森山雅智

小田原文化財団蔵（2点とも）

杉本博司　すぎもと・ひろし

1948年東京生まれ。立教大学経済学部を卒業後に渡米、アートセンター・カレッジ・オブ・デザイン（ロサンゼルス）で写真を学ぶ。1974年よりニューヨーク在住。「海景」「劇場」「建築」シリーズなどの代表作がメトロポリタン美術館をはじめとする世界有数の美術館に収蔵されている。彫刻、建築、造園、料理、書と多方面に活躍、とりわけ伝統芸能に対する造詣が深く、演出を手掛けた「杉本文楽　曾根崎心中　付り観音廻り」公演は国内外で高い評価を受けた。2008年、新素材研究所を設立。2017年10月、約20年の歳月をかけて建設された文化施設「小田原文化財団 江之浦測候所」をオープン。これまでにハッセルブラッド国際写真賞、高松宮殿下記念世界文化賞（絵画部門）受賞、紫綬褒章受章、フランス芸術文化勲章オフィシエ叙勲、そして2017年、文化功労者に選出される。著書に『苔のむすまで』『現な像』『アートの起源』（新潮社）、『江之浦奇譚』（岩波書店）、『空間感』（マガジンハウス）、『歴史の歴史』（新素材研究所）、『趣味と芸術　謎の割烹 味占郷』（ハースト婦人画報社）、『Old Is New：新素材研究所の仕事』（榊田倫之との共著 平凡社）など。

杉本博司《すぎもとひろし》自伝《じでん》　影老日記《かげろうにっき》

発　行　2022年3月25日

著　者　杉本博司《すぎもとひろし》
発行者　佐藤隆信
発行所　株式会社新潮社
〒162-8711　東京都新宿区矢来町71
電話　編集部　03-3266-5381
　　　読者係　03-3266-5111
https://www.shinchosha.co.jp
装　幀　新潮社装幀室
組　版　新潮社デジタル編集支援室
印刷所　大日本印刷株式会社
製本所　大口製本印刷株式会社

ISBN 978-4-10-478104-1 C0070

苔のむすまで　杉本博司

現な像　杉本博司

アートの起源　杉本博司

建築家　安藤忠雄　安藤忠雄

安藤忠雄　野獣の肖像　古山正雄

ル・コルビュジエの勇気ある住宅　安藤忠雄

「私の中では最も古いものが、最も新しいものに変わるのだ」――。考古学から現代美術までを多才なる美術作家が読み解く、時空を超えた評論集。代表作図版多数収録！

「私は長い間写真に関わりながらも、未だに真の何たるかを知ることを得ない」。人類の真を写し歴史の像を現す、国際的美術家による芸術と文明を巡る12章。図版多数。

芸術の起源とは、人間の意識の起源である。そこにこそ、現代を生き抜くための手がかりがあるのではないか。作品図版多数、人類学者・中沢新一氏との対談も収録！

プロボクサーを経て、独学で建築の道を志した。生涯ゲリラとして――。建築を武器として社会の不条理に挑み続けてきた男が、激動の人生を綴った。初の自伝、完成！

70年代からリアルタイムで安藤を見続けてきた著者が、革命児の素顔を明かし、あくなき挑戦の真価を問う。「闘う建築家」の原点から現在までを辿る画期的評伝。

20世紀建築における最大の巨人ル・コルビュジエ。でもどこがどうすごいのか？　建築家・安藤忠雄が「住宅」を切り口に、その偉大さを解き明かします。詳細年譜付。　《とんぼの本》